NAUFRAGE

DU MÊME AUTEUR

Dérives, Leméac, 2010.
La chute de Sparte, Leméac, 2011.
Mort-Terrain, Leméac, 2014.

BIZ

Naufrage

roman

LEMÉAC

Ouvrage édité sous la direction
de Jean Barbe

Photo en couverture : © Vasilyev D/iStockphoto.com

Leméac Éditeur remercie le Conseil des arts du Canada, la Société de développement des entreprises culturelles du Québec (SODEC) et le Programme de crédit d'impôt pour l'édition de livres du Québec (Gestion SODEC) du soutien accordé à son programme de publication.

Financé par le gouvernement du Canada | Canadä
Funded by the government of Canada

ISBN 978-2-7609-4723-8

© Copyright Ottawa 2016 par Leméac Éditeur
4609, rue D'Iberville, 1er étage, Montréal (Québec) H2H 2L9
Dépôt légal – Bibliothèque et Archives nationales du Québec, 2016

Conception de la couverture : Gianni Caccia
Mise en pages : Compomagny

Imprimé au Canada

À Marie-Anne, Alice et Louis
À Jean-Yves, Étienne et Nicole

À la mémoire de
Jean-Roch Fréchette
Cécile Lainey
Émilienne Guay
et Paul Gagnon

Ton souffle et le mien, cette course
Est perdue
ÉLOI DE GRANDMONT

Si tu regardes longtemps un abîme,
l'abîme regarde aussi en toi
FRIEDRICH NIETZSCHE

Marieke Van Verden, quarante et un ans, accouche. Le visage déformé par la douleur, elle pousse en hurlant. Frédérick Limoges, trente-neuf ans, l'encourage en lui épongeant le front. Il est dépassé par les événements.

Le docteur Émile Dussault, cinquante-deux ans, supervise l'opération avec calme.

— Ça va très bien, Marieke. On voit la tête.

Marieke redouble d'ardeur. Il y a une force brute de guerrière dans ses cris. Frédérick se déplace derrière le docteur. Entre les jambes de la mère, on voit des petits cheveux noirs et des filaments de sang. La voix du docteur est grave et rassurante.

— Le plus dur est fait. Allez, une dernière poussée.

Marieke expulse un ultime hurlement en serrant les draps dans ses poings. Son visage est rouge et une mèche de cheveux blonds lui colle au visage. On dirait une Walkyrie qui sonne la charge.

La tête sort, toute plissée, gluante et ensanglantée. Comme une tête réduite par les Jivaros. Le docteur réceptionne le bébé et démêle le cordon. L'enfant commence à pleurer en agitant ses petites mains.

— Félicitations, Marieke. Vous avez un beau garçon en santé. À vous l'honneur, Frédérick.

D'une main incertaine, Frédérick prend les ciseaux que lui tend le docteur. Il s'approche pour couper le cordon. Soudain, son visage blanchit, il est pris d'un malaise et tente de s'appuyer sur une table roulante. La table bascule, et Frédérick s'évanouit dans un fracas d'instruments chirurgicaux. Une infirmière se précipite sur lui pendant que le docteur coupe le cordon et remet le bébé à sa mère.

La grosse secrétaire s'est plantée devant mon cubicule et m'a lancé sèchement, assez fort pour que mes voisins entendent :

— Ils veulent te voir aux RH.

— Moi, pourquoi ?

— Je sais pas.

— Quand ?

— Maintenant.

Cette convocation à la Direction des ressources humaines n'augurait rien de bon. Je me suis levé en grommelant. La secrétaire s'est mise en marche en ondulant ses grosses fesses. Prisonnières de son pantalon de fortrel, ses cuisses frottaient l'une sur l'autre en un chuintement obscène. Je la suivais comme un condamné à l'échafaud. Je sentais glisser sur moi les regards à la fois compatissants et soulagés de mes collègues de cubicules. Ils étaient en sursis, mais c'étaient eux les prochains.

Depuis la fusion des ministères, il y avait beaucoup de chambardements de personnel. Licenciement, mutation, retraite anticipée, toutes les options étaient dans le barillet et c'était à mon tour de jouer à la roulette russe. J'avais le canon de l'austérité appuyé sur la tempe. Le hamster de la panique courait dans ma tête. Qu'est-ce que j'allais faire ? À quarante ans, j'étais trop jeune pour prendre ma retraite et trop vieux pour me réorienter.

Les Ressources humaines occupaient tout le cinquième étage. Je n'y étais allé qu'une seule fois, lors de mon embauche il y a huit ans. En apparence, rien n'avait changé. La secrétaire faisait barrage derrière son bureau.

— Oui?

— Je suis convoqué.

— Par qui?

— Je ne sais pas. On m'a dit que j'étais convoqué aux Ressources humaines.

La secrétaire a soupiré.

— Votre nom?

— Frédérick Limoges.

Elle a tapoté son clavier en regardant son écran.

— Quel module?

— Analyse et statistique.

— Ah oui. Le directeur vous attend. Dernier bureau au fond à gauche.

— Merci.

Autant remercier le bourreau qui m'attachait le nœud coulant au cou. Je me suis avancé dans le dédale des cubicules. Ici, on bossait ferme. Ça s'entendait. Mettre autant de monde à la porte, c'est beaucoup d'efforts. Réverbéré par les parois des paravents, le cliquetis des claviers était assourdissant. J'avais l'impression de déambuler au cœur d'un cerveau géant et d'entendre les milliards d'impulsions électriques produites par les neurones en action. Mais un cortex malade, gangrené par l'alzheimer et pourri par la démence.

Au bout de l'allée, une secrétaire était au téléphone.

— Elle t'a dit ça? Faut-tu avoir du front. Pis là, qu'est-ce que tu y as dit? (…) En tout cas, moi, j'y aurais dit…

J'avais beau m'impatienter, elle ne m'accordait pas un regard. Elle tentait de démêler la spirale du fil de son téléphone. Excédé, je me suis avancé dans son champ de vision en posant les mains sur son bureau.

— Bon, faut que je te laisse, là, j'ai quelqu'un. Je vais te voir à la pause.

Elle a raccroché.

— Oui ?

— J'ai rendez-vous avec le directeur.

— Ici, c'est la directrice adjointe. Le directeur, c'est à l'autre bout.

Impossible d'avoir un ton si méprisant sans s'être exercé à voix haute devant un miroir. J'ai rebroussé chemin. Égaré dans mes pensées, j'avais dû tourner à droite plutôt qu'à gauche.

Au fond, le bureau du directeur était gardé par une autre secrétaire. Celle-là était d'une autre trempe. Contrairement à ses subalternes, elle était grande et mince. Dans les organisations, la hiérarchie s'applique aussi aux corps. Elle avait le raffinement d'une femme de cinquante ans qui refuse de baisser les bras devant les assauts de Chronos. Un peu trop fardée, ornée de bijoux trop clinquants («à vieille mule, frein doré», dit le proverbe), mais vêtue d'un tailleur ajusté qui laissait deviner beaucoup d'heures au gym.

— Oui ?

Son mépris était plus subtil, savamment dissimulé derrière ses dents blanchies.

— J'ai rendez-vous avec le directeur.

— Monsieur Limoges ? Le directeur vous attend.

Elle s'est retournée pour indiquer la porte derrière elle. Ses seins menaçaient de faire sauter les boutons de son chemisier.

— Merci.

Encore ces remerciements de veau devant l'abattoir. J'ai cogné et je suis entré. Dans une épicerie, les aliments à haute valeur nutritive sont répartis sur le pourtour. Dans les allées du centre, on trouve le gras, le sucre et le sel. Même chose au ministère. Seules les personnes qui détiennent une autorité ont droit aux fenêtres sur les côtés de la bâtisse. En tant qu'analyste n'ayant personne sous ses ordres, j'étais confiné à un cubicule anonyme au milieu de l'édifice.

Le bureau du directeur était situé dans un coin et comportait deux murs vitrés. Découpant sa silhouette en contre-jour, la lumière naturelle accentuait la superbe de son bronzage et de son visage frais rasé. Dans les cubicules, l'éclairage au néon rendait tout le monde cadavérique. Ici, des œuvres d'art choisies avec goût, un divan et une table de réunion avec un pichet d'eau et des verres conféraient une autorité indiscutable à l'occupant de l'endroit. C'est le trône qui fait le roi.

Assis derrière son bureau, le directeur a levé la tête.

— Monsieur Limoges. Assoyez-vous.

Il a tendu le bras vers un siège devant lui. Dégainée par le mouvement de sa manche, sa montre m'a bombardé d'un reflet de soleil aveuglant. Comme si Zeus m'avait lancé son foudre au visage. Je me suis assis lourdement. Mon siège était plus bas que le sien, de sorte qu'il me surplombait avec contentement. J'étais vaincu avant même d'avoir combattu.

Il a croisé les mains devant lui. Je fixais sa grosse montre aux multiples aiguilles, dont le fond du cadran orange vif était parfaitement coordonné aux petits losanges sur sa cravate. Le bracelet devait être du même cuir que ses souliers. Moi qui n'avais que trois cravates et qui regardais l'heure sur mon téléphone, j'étais émerveillé par les détails de l'élégance masculine.

— Je vais aller droit au but. Vous n'êtes pas sans savoir que la situation des finances publiques est catastrophique. Dans ces conditions, toutes les mesures doivent être prises pour réduire les dépenses et accroître

14

les revenus de l'État. Afin de l'assister dans sa prise de décision, le Conseil des ministres a mis sur pied le Bureau de restructuration. Épaulé par des consultants externes, le Bureau a pour mandat de reconfigurer les structures étatiques afin d'en maximiser l'efficience. Vaste programme, je vous l'accorde.

J'entendais, mais n'écoutais rien. Son jargon technocratique avait des propriétés hypnotiques. Bercé par le son rassurant de sa voix, je sentais mon corps ramollir et ma conscience s'engourdir. Il poursuivait.

— C'est donc sur recommandation du Bureau que le Conseil des ministres a décrété la fusion du ministère des Structures et du ministère de la Réorganisation. Il est bien évident que le nouveau ministère des Structures et de la Réorganisation ne comportera qu'un seul module Analyse et statistique et que, par conséquent, il y aura des mises à pied.

Il s'est interrompu pour vérifier si je comprenais où il voulait en venir. Constatant que j'étais complètement anesthésié par son baratin et qu'il pouvait manier le bistouri à sa guise, il a continué.

— Rassurez-vous, le ministère a encore besoin de votre expertise. C'est pourquoi je vous annonce votre mutation au Service des archives. Vos compétences n'ont strictement rien à voir avec cette décision. Vous êtes simplement l'analyste avec le moins d'ancienneté. Votre salaire et vos avantages sociaux sont évidemment maintenus. Il ne s'agit donc pas d'un déclassement, mais d'une réelle opportunité de relever de nouveaux défis dans notre organisation.

Il s'est levé pour contourner son bureau et me poser une main pleine de sollicitude sur l'épaule. Je pouvais sentir son parfum musqué.

— Prenez la journée pour déménager vos affaires. Le Service des archives a déjà préparé un bureau pour vous. Le directeur vous attend pour assurer la transition.

À son invitation, je m'étais levé. Il me raccompagnait avec courtoisie, mais fermeté, avec une main plaquée au creux de mes reins. J'obéissais comme un pantin.

— Si vous avez la moindre question ou le moindre problème, ma porte vous sera toujours ouverte. Adieu, monsieur Limoges.

— Merci.

J'étais pratiquement viré et j'avais trouvé le moyen de le remercier.

*

À l'abri dans mon cubicule, je ruminais ma honte. On m'avait traité comme du bétail et je n'avais rien dit. Pas le moindre meuglement. Je me retrouvais donc à ramasser mes affaires en marmonnant mon dépit. Des crayons, quelques dossiers, une calculatrice, un dictionnaire, un traité de statistique et une édition de poche de *L'Iliade*; l'ensemble des objets nécessaires à mon travail tenait dans une petite boîte en carton.

En dernier lieu, j'ai mis dans la boîte le cadre avec la photo de ma femme et de mon fils que j'avais prise après l'accouchement. Le petit reposait sur sa mère. Son visage de minuscule vieillard tout plissé exprimait la contrariété et sa petite main était tendue vers l'objectif, comme une vedette se protégeant des paparazzi. Exténuée, ma femme contemplait notre enfant avec la fierté d'une amazone victorieuse d'un dur combat.

La nouvelle de ma mutation avait fait le tour de mes confrères du module Analyse et statistique. Ceux qui étaient présents sont passés me saluer. D'abord Réjean, le sinistre technicien passif-agressif. Celui-là, je ne le regretterais pas. Le parfait prototype du fonctionnaire planqué, paresseux et retors qui met toute son énergie à travailler le moins possible. Blindé par son ancienneté, il allait mourir dans son cubicule.

— Fais-toi-s'en pas, Fred, je vais m'occuper de tes dossiers.

Commence donc par t'occuper des tiens, crisse d'incompétent. Évidemment, je n'ai rien dit et j'ai souri en lui serrant la main. Sa paume avait la texture d'un poisson mort. Bon débarras.

Gilles, l'agent de recherche, m'a mis une main sur l'épaule. Sa compassion était sentie.

— On va s'ennuyer de toi, le grand. Mais ça va me faire plaisir de continuer à te planter au squash.

Son humour débonnaire et son intelligence allaient me manquer. C'était le seul avec qui je pouvais discuter d'autre chose que de météo ou de circulation.

La secrétaire Louise avait laissé tomber son masque bourru et m'a serré dans ses gros bras mous. Je crois qu'elle regrettait de s'être adressée à moi aussi sèchement tout à l'heure.

— Les Archives, c'est pas si loin. Tu viendras nous voir.

J'aurais bien voulu que mon chagrin soit proportionnel au sien, mais j'avais du mal à réaliser ce qui m'arrivait. Ils me traitaient tous comme si j'avais été mis à la porte et ça commençait à m'inquiéter.

Enfin, Suzanne, la coordonnatrice du module, s'est approchée pour me saluer avec élégance et dignité.

— Ç'a été un honneur de travailler avec toi, Frédérick. Je te l'ai pas dit souvent, mais j'ai beaucoup apprécié la rigueur de tes analyses. J'espère que les Archives auront l'intelligence d'utiliser ton plein potentiel.

C'était une femme de tête admirable, une patronne rigoureuse et juste, qui m'avait transmis le sens du devoir et l'amour du service public.

— Merci pour tout, Suzanne.

Mon cubicule vide m'apparaissait comme une alvéole dans une grande ruche besogneuse. Une abeille de moins ne changerait rien au destin de la colonie ; le module Analyse et statistique allait continuer de bourdonner sans moi. J'ai pris ma boîte et je suis parti.

À mon arrivée dans l'ascenseur, la jeune préposée s'est levée de son siège au garde-à-vous. Elle était vêtue d'une livrée bourgogne et d'un ridicule petit chapeau rond à fond plat. Ses gants blancs rendaient tous ses gestes solennels.

— Salut, Aurélie. Au sous-sol, s'il vous plaît.

— Vous allez aux Archives ?

— Oui.

— Vous avez de la recherche à faire ?

Depuis qu'elle était en poste, elle m'élevait chaque matin au troisième étage. Elle allait dorénavant me descendre à la cave chaque jour. Je ne pouvais pas lui mentir. J'ai baissé les yeux.

— Euh, non… J'ai été transféré.

Elle a jeté un œil sur le contenu de ma boîte avant de laisser tomber :

— Oh.

Cette simple syllabe chargée d'empathie m'a fait comprendre où je m'en allais. Même cette adolescente, très gentille mais un peu bête, sentait le besoin de me transmettre sa compassion. Elle avait parfaitement compris que ce transfert n'était pas une promotion. Ding !

— Sous-sol. Bonne journée, monsieur Limoges.

Les portes de l'ascenseur se sont refermées derrière moi avec un bruit de guillotine. C'était la première fois que je venais ici. La peinture des murs

18

s'écaillait. Un tube fluorescent bégayait comme un stroboscope. Aucun son, à part l'écho de mes pas et le lugubre grésillement du néon. Au bout du corridor, il fallait tourner à gauche pour gagner la bibliothèque et à droite pour le Service des archives. J'ai pris à droite.

Derrière une porte au vitrage opaque, une secrétaire lisait un magazine culinaire, dont la une était consacrée à un jeune chef tatoué. Elle semblait surprise de voir un inconnu entrer ici.

— Oui ?

— Bonjour. J'ai rendez-vous avec le directeur.

— C'est au fond.

La salle était basse de plafond, sans aucune fenêtre. Une dizaine de personnes y travaillaient. Travailler était un bien grand mot. Disons que les claviers cliquetaient pas mal moins rapidement qu'aux Ressources humaines. Sur son ordinateur, un type comparait des moulinets de cannes à pêche.

Le bureau du directeur du Service des archives était évidemment dans le coin, mais il n'avait même pas droit à une pièce à part. Bien que plus grand que celui de ses subalternes, son périmètre était délimité par des paravents. Au ministère, la hiérarchie s'appliquait aussi aux paravents. Ceux des étages étaient d'un beige crème et s'emboîtaient les uns dans les autres, alors qu'au sous-sol, ils étaient d'un gris triste et avaient des interstices entre eux.

Un écriteau annonçait Serge Coutil, directeur du Service des archives. Je me suis avancé timidement. Le directeur était un petit trapu avec des lunettes et un collier de barbe. Contrairement à ses confrères des étages supérieurs, il ne portait ni veston ni cravate, seulement une horrible chemise jaune avec d'énormes fleurs d'hibiscus. Il avait l'air d'un psychiatre en vacances.

— Bonjour, monsieur Coutil. Frédérick Limoges.

Il s'est levé pour venir me serrer la main avec chaleur.

— Appelle-moi Serge. Bienvenue aux Archives, Frédérick. Je suis sûr qu'on va très bien s'entendre. Suzanne m'a dit beaucoup de bien de toi. Assis-toi. Assis-toi.

Je me suis assis sur une chaise brinquebalante, pendant qu'il posait ses fesses sur son bureau.

— Tu vas voir, on est une belle gang. Tu vas être bien ici.

Complètement dépassé, je serrais ma boîte trop fort en souriant bêtement.

— Bon, je vois que tu es prêt à t'installer. Je vais te montrer ton bureau.

Nous avons retraversé la salle jusqu'à la sortie. Le type des moulinets était maintenant sur un site de pool de hockey.

— Avec la fusion des deux ministères, on a besoin de monde aux Archives. Comme tu le vois, on est à pleine capacité. Ça fait que les nouveaux, on les installe dans la voûte. Mais c'est temporaire.

Nous avons continué en direction de la bibliothèque. Je m'accrochais à ma boîte comme un noyé à sa bouée. Au fond du corridor, nous avons descendu quelques marches menant à une immense salle voûtée sans fenêtres. On aurait dit les catacombes de Moulinsart.

— Ici, c'est la bibliothèque.

Le directeur avait parlé à voix basse et indiquait la section avant de la salle, délimitée par des paravents et contenant des étagères soigneusement rangées. Au fond, une jeune fille de dos classait des documents sur un chariot. Elle était penchée et je ne voyais que ses fesses emballées dans sa jupe.

— Ariane, la bibliothécaire.

Nous avons emprunté un petit passage bordé de paravents. Certains étaient percés et laissaient paraître des tumeurs de mousse jaunies. Une odeur de moisissure aigre m'a sauté à la gorge. Nous avons débouché sur la voûte des archives. C'était impressionnant. Un capharnaüm infini d'étagères, de rayons, de piles de documents et de cartes enroulées. La salle du courrier en retard de Gaston Lagaffe. Dernier avant-poste d'humanité aux frontières du chaos, trois personnes étaient assises derrière des bureaux jouxtant les paravents de la bibliothèque.

À droite, un type en bermuda écrasé dans son fauteuil à roulettes soliloquait au téléphone. Il avait une voix nasillarde efféminée et zozotait affreusement. Il avait l'air de choisir délibérément des mots avec des S.

— Ben oui, c'est ça qui est ça. C'est sûr que c'est encore sensible, mais ça va disparaître incessamment.

Rondouillet, yeux globuleux, couronne de cheveux frisés autour de son crâne chauve, même sans maquillage, il avait l'air d'un clown. J'ai tout de suite méprisé cet homme. Le directeur a fait les présentations.

— Ici, c'est Clément. Toujours au téléphone. Il était technicien à l'ancien ministère de la Documentation.

Clément le clown. Ça collait parfaitement. Il m'a salué distraitement d'un hochement de tête. Sa voisine était une petite femme dans la cinquantaine, menue et sèche, qui pianotait frénétiquement sur son clavier.

— Monique, je te présente Frédérick. Il était analyste aux Structures. Il vient s'installer avec vous. Monique était agente de comm à la Division de l'information.

Elle a levé la tête rapidement, m'a lancé un bonjour avant de replonger dans son écran.

En face du clown, un grand type ne tentait même pas de dissimuler qu'il jouait à un jeu sur sa tablette.

— Ici, c'est Patrice. Il était analyste à la Réorganisation.

Le directeur parlait de nous au passé. Comme si nous étions morts. Professionnellement, c'était sans doute vrai. Il m'a montré un bureau, à gauche de Patrice, en face de la petite Monique.

— Ça, c'est ton bureau. Prends le temps de t'installer. Un technicien devrait passer pour te donner ton code d'ordi. Si t'as des questions, tu sais où me trouver. Bon, je vous laisse faire connaissance. Maganez-le pas trop.

Le directeur est reparti en sifflotant. Mon bureau comportait un vieil ordi et un téléphone beige. Pendant que j'installais mes affaires, Patrice s'est approché.

— T'arrives des Structures?

— Oui.

— Toi aussi, t'étais analyste?

— Oui.

— Crisse de coupures. Moi, ça fait deux ans que je suis ici.

Je n'avais aucune envie de converser. J'ai opté pour l'empathie laconique.

— Ouain, c'est poche.

Je feignais d'avoir du travail en replaçant pour la troisième fois mon dictionnaire sur mon bureau.

— En tout cas, si t'as des questions, gêne-toi pas. Faut se tenir les coudes ici.

— Merci.

J'ai fini par m'asseoir et ouvrir l'ordi. Toujours en fixant sa tablette, Patrice a laissé tomber :

— Oublie ça, ça prend ton code.

Je n'avais strictement rien à faire. Ça commençait à devenir embarrassant. Le bavardage de Clément se perdait dans le cliquetis du clavier de Monique. Le clown a fini par raccrocher. Lançant le signal de la pause, il a demandé à la cantonade :

— Un bon café, les copains?

La pause s'est révélée atroce. Nous étions entassés dans un petit local sans fenêtre avec du mauvais café. Tous des gens des Archives, à ce que j'avais pu comprendre. Le directeur me présentait à tout le monde. J'étais sidéré par leur allure débraillée. Jeans, t-shirts, bermudas, barbes de trois jours, tout cela aurait été impensable dans mon module. Leur désœuvrement trahissait la résignation de ceux qui ont cessé de lutter pour améliorer leur sort.

Seule Monique avait une certaine classe, mais elle profitait de la pause pour visiter d'anciens collègues au sixième. Patrice me collait aux basques et ironisait sur mon veston de lin fripé. *C'est toujours fripé du lin, crisse de sans-dessein.*

Il voyait en moi un allié potentiel. Il avait abattu ses cartes en affichant ouvertement son mépris pour Clément. Il me distillait son fiel à l'oreille en le toisant discrètement.

— Regarde-le, l'ostie de tapette.

Clément était un placoteux supersonique. Il butinait de collègue en collègue en détournant toutes les conversations vers lui. Avec son insupportable phrasé sur le bout de la langue, il débitait une logorrhée d'insignifiances assommantes. Plus forte et plus stridente que les autres, sa voix était une scie à ruban sur mes tympans. Et Patrice qui persistait dans son persiflage.

— Regarde-le, ostie. Toujours en train de mémérer. Si au moins il parlait comme du monde.

N'en pouvant plus de sa médisance, j'ai tenté de m'esquiver.

— Bon, je vais y aller, moi.

— Aller où? Le *break* est même pas fini.

Le *break* de quoi? À part Monique, je n'avais vu personne travailler. J'ai fini par me réfugier aux toilettes. J'y suis resté enfermé dix minutes, paniqué à l'idée de les retrouver. J'étais aux Archives depuis à peine un avant-midi et, déjà, je n'en pouvais plus.

*

J'ignore comment, mais j'ai réussi à terminer ma première journée. En prenant l'ascenseur, je me sentais comme un mineur qui remonte à la surface. Libéré de ma gangue souterraine, mais humilié de n'avoir pas travaillé.

En tant qu'analyste au module Analyse et statistique du ministère des Structures, mon travail avait consisté essentiellement à synthétiser et analyser des informations pour alimenter la prise de décision des gestionnaires. Pas le genre de boulot dans le vent dont rêvent les jeunes, mais j'y avais trouvé du sens. J'aimais le concept de service public désintéressé. L'idée que mon travail, si abstrait fût-il, était consacré au mieux-être collectif m'emplissait d'une certaine noblesse.

En Chine, dès 221 avant Jésus-Christ, l'empereur de la dynastie Qin a établi le mérite comme critère de nomination dans la bureaucratie et dans l'armée, rompant avec les recommandations partisanes et la dictature du lignage. D'un point de vue historique, l'apparition d'une fonction publique érigée en rempart contre l'arbitraire a toujours été une condition essentielle à la démocratie.

Mais, après une journée aux Archives, tout mon idéal de la fonction publique s'écroulait. Il ne me restait que le déshonneur des fonctionnaires oisifs et méprisés. Dans le hall, j'ai croisé des cadres avec des mallettes. Ils rapportaient du travail à la maison. Moi, j'avais les mains vides. Je n'avais même pas de travail au travail. Et les autres, comment faisaient-ils pour survivre à l'embarras de leur inutilité ? Comment parvenaient-ils à encaisser leur chèque sans être broyés par le remords ?

Sur une paroi vitrée, j'ai aperçu mon reflet. Les épaules voûtées, le pas rapide, je voulais disparaître. Patrice avait raison : ma veste en lin était vraiment fripée et me donnait l'air d'un itinérant. J'avais terriblement besoin d'un verre.

À la Société des alcools, on m'a vanté les vertus d'une nouvelle vodka à base d'eau filtrée par les eskers, dont la pureté était louangée partout dans le monde.

Le trafic était terrible. Nous étions des milliers à vouloir rentrer chez nous en même temps au terme d'une journée harassante. À la radio, les chroniqueurs annonçaient aux automobilistes que le trafic était terrible.

En stationnant dans l'entrée, ma maison m'est apparue comme une ambassade à l'abri des soucis du monde. Dans la cour avant, le grand chêne exhibait son immuable majesté, geyser de verdure sur fond d'azur. Affairée aux chaudrons, ma femme Marieke m'a accueilli avec sa tenue de combat de mère en congé parental : un pantalon de pyjama en flanelle lilas, mon coton ouaté trop grand des Chiefs de Kansas City et des Crocs vert fluo. Sa longue chevelure blonde était retenue en queue de cheval, cimier accentuant son port altier.

Elle a tourné la tête pour m'irradier d'un sourire solaire. Sa queue de cheval a balayé l'air comme une comète étincelante. Même habillée en bouffon multicolore, elle était splendide. Elle a vu ma bouteille de vodka. Depuis que la Société des alcools ne donnait plus de sac, impossible de dissimuler son vice.

— Salut. As-tu acheté du lait ?

— Ah, câlisse.

— T'achètes de l'alcool, mais t'as oublié le lait. As-tu quelque chose à fêter ?

— Pas vraiment, non.

Nestor jouait avec des blocs près de la table. En m'apercevant, son petit visage de treize mois s'est illuminé.

— Papa.

Il s'est levé pour m'accueillir. En prenant appui sur ses mains, il a d'abord relevé son gros derrière ensaché dans une couche et s'est redressé avant de courir vers moi en criant.

— Papa !

Nestor avait découvert la course depuis quelques semaines et prenait plaisir à faire résonner ses petites bottines partout dans la maison. J'ai déposé ma bouteille sur le comptoir et me suis penché pour l'accueillir.

En le regardant progresser, j'étais ébahi par la complexité biomécanique de la locomotion bipède. Il avait fallu aux Japonais des dizaines d'années de recherche à temps plein pour mettre au point un robot humanoïde capable de descendre un escalier sans s'écrouler. Un an avait suffi à mon petit homme pour assimiler les rudiments du déplacement sur deux pattes.

Nestor fonçait vers moi comme un obus chargé d'amour. Son visage brillait d'un pur bonheur. Propulsé par sa joie, il allait trop vite. Son pied a buté et il s'est affalé devant moi sans que je puisse le rattraper. Un bruit sourd, suivi d'un hurlement strident.

Incapable d'amortir sa chute avec ses mains, il est tombé sur le menton. Bien sûr, il s'était fait mal. Mais je soupçonnais son ego d'avoir pris l'essentiel du choc. Il avait raté son entrée et enrageait que son corps ne soit pas à la hauteur de son esprit. À lui seul, ce petit être avait en lui plus de fierté que tous mes nouveaux collègues du Service des archives réunis.

Je l'ai pris dans mes bras pour le consoler. Marieke s'est essuyé les mains sur un linge à vaisselle et s'est précipitée pour lui donner des becs.

— Pauvre amour. Tu vas trop vite. (Elle s'est tournée vers moi.) Je te l'avais dit que ses bottines étaient trop grandes.

Elle avait raison pour les bottines. Nous embrassions chacun une joue de notre garçon en lapant le sel de sa tristesse. Ma main s'est glissée facilement dans l'élastique du pantalon de ma femme. C'est l'avantage des vêtements mous : l'accès à la chair est plus facile. Ses fesses étaient encore fermes, quoique ramollies par la grossesse. Sous le gras souple, je palpais son corps musculeux. Le meilleur des deux mondes.

Notre famille était enlacée en un triangle amoureux parfaitement équilatéral.

*

Je terminais la vaisselle dans la cuisine, éclairé seulement par la lumière au-dessus de l'évier. Après le champ de bataille du souper, je laissais le terrain immaculé. Fidèle au rituel, j'ai fouetté un dernier coup de guenille sur le comptoir. Le lave-vaisselle ronronnait de perfection dans la pénombre. J'ai rangé la bouteille de vodka dans l'armoire au-dessus du frigo. L'envie de boire était passée. Pour le moment.

Je suis monté me coucher à l'étage. La maison était un monastère ordonné et silencieux. Dans l'escalier, comme chaque soir, j'ai redressé le cadre d'une reproduction de Krieghoff. Comme chaque soir, j'ai fait un détour dans la chambre de Nestor. Sa veilleuse de Caillou projetait un halo rassurant. Pris et protégé par les barreaux de sa couchette, mon fils dormait profondément, entouré de la multitude de toutous qu'il réclamait pour s'endormir. J'ai lancé dans un panier l'excédent de peluches, ne gardant à ses côtés que le dragon Tison, fidèle sentinelle contre les dangers de la nuit.

Nestor était couché sur le dos, bras en croix, comme un petit Christ contenté. J'aurais pu rester des heures à contempler son étroite poitrine soulevée par le souffle de la vie. Il était si beau et si vulnérable que j'en avais la gorge serrée.

Marieke et moi avions tellement désiré cet enfant que j'avais parfois peine à réaliser son existence. Après plusieurs traitements éprouvants et coûteux, les médecins avaient conclu que nous étions tous deux fertiles, mais incompatibles. L'un d'eux (particulièrement peu diplomate) avait tenté de synthétiser la situation : « C'est comme essayer d'accoupler un cheval et une vache. » Choquée, Marieke avait quitté son bureau en lui garrochant une volée de bois vert. Son sarrau flottant comme une cape, le docteur courait à notre suite en se confondant en excuses dans la salle d'attente bondée.

Trois fausses couches et trente mille dollars plus tard, nous avions lâché prise et entamé des procédures d'adoption en Haïti. Et puis, contre toute probabilité, Marieke est tombée enceinte et l'embryon s'est accroché. Après une grossesse sous haute surveillance, notre fils est né. J'étais tellement ému que j'ai perdu connaissance en m'effondrant dans les instruments du médecin.

Par sa simple existence, cet enfant était déjà un héros. Dès lors, le prénom Nestor s'est imposé. Selon le mythe, le dieu Apollon a gratifié le vaillant guerrier d'une extrême longévité. Il a ainsi profité d'une vie exaltante et d'une vieillesse paisible. Comme tous les parents, c'est ce que nous souhaitions à notre fils.

J'ai remonté sa couverte tricotée par la mère de Marieke.

— Bonne nuit, monsieur Beauchéri.

Marieke lisait dans notre lit. Elle avait défait ses beaux cheveux blonds, de sorte que sa tête reposait dans un champ d'orge. Elle était plongée dans *Les Bienveillantes,* une fiction historique relatant l'ascension d'un officier SS homosexuel. Je me suis couché à côté d'elle, faufilant ma tête sous son bras, jusque sur sa poitrine. Révélé par l'échancrure de sa camisole, le galbe de ses seins nourriciers apaisait mon angoisse professionnelle, qui refluait dans ma tête comme une marée toxique. Ils avaient beau parler de transfert et de maintien de salaire, la vérité, c'est que j'étais tabletté, tabarnak. À quarante ans.

Marieke me flattait distraitement les cheveux en continuant sa lecture. Par-delà les collines de sa poitrine, je lisais que le *SS-Hauptsturmführer* Maximilien Aue avait été muté au siège de Stalingrad, à la veille de tomber aux mains des Russes. Pour les nazis, Stalingrad c'était la tablette ultime.

Télépathe certifiée, ma femme captait toute l'étendue de ma détresse et tentait de dédramatiser avec cet humour aigre-doux dont elle avait le secret.

— Au moins, t'es payé.

— Oui, mais j'ai rien à faire. Aimerais-tu ça, être payée à rien faire ?

— C'est pas mal ça, l'idée d'un congé de maternité. Pis, honnêtement, je trouve ça pas mal cool.

— Les Archives, ostie. Je comprends pourquoi ils les cachent au fond de la cave. Tu devrais voir la gang de BS.

— Pauvre ti-garçon… Viens, maman va te consoler.

Elle a déposé son livre et s'est tournée sur le côté pour m'enfouir la tête entre ses seins. Blotti dans la douceur de ses outres lactées, la fin du monde pouvait survenir.

Frédérick, quarante-deux ans, fait le tour de sa voiture et ouvre la portière arrière. Sanglé dans son banc d'enfant, Nestor, trois ans, s'impatiente.

— Papa, peux-tu me déballer ?

Frédérick embrasse son fils et le détache.

— Toi, t'es mon cadeau préféré.

Il prend Nestor et le dépose sur le trottoir. L'enfant désigne l'église.

— Regarde, papa, le château de Jésus.

Le père et le fils montent les marches de l'église main dans la main. Frédérick a une jambe plus courte que l'autre et sa démarche est chaloupée. Par mimétisme inconscient, Nestor adopte exactement la même.

L'église est déserte. Le soleil entre en biseau par les vitraux de la façade ouest. Père et fils marchent dans l'allée de droite. L'écho de leurs pas emplit le silence. Ils s'arrêtent devant un présentoir à lampions. Frédérick sort un dollar de sa poche. Le garçon l'interrompt à voix basse.

— C'est moi, papa.

Le père remet la pièce à son fils, qui la glisse dans la fente. Frédérick saisit un bâtonnet de bois dans un bac à sable et l'enflamme sur un lampion.

— C'est moi, papa.

Le père donne le bâtonnet enflammé à son garçon. Ce dernier choisit un lampion et l'allume.

— Fais un vœu.

Frédérick guide la main de son fils vers le bac de sable. Ils y plongent le bâtonnet, qui s'éteint. Les deux fixent un moment la flamme vacillante dans le lampion et repartent, main dans la main.

— C'est quoi, ton vœu ?

— Je peux pas te le dire, c'est un secret.

J'attachais Nestor avec peine dans le siège pour enfant de notre auto. Il se moquait de mon combat avec le harnais et gazouillait en me donnant des coups de toutou sur les mains. Devant les objets récalcitrants, je devenais animiste et m'adressais directement à eux en marmonnant.

— Enweille, rentre icitte. Tu gagneras pas, mon ostie.

La boucle s'est finalement insérée dans le loquet avec un clic victorieux. Épuisé par ma lutte, j'ai embrassé le front de mon fils, avant de refermer sa portière. Marieke avait assisté à toute la scène, sourire en coin, appuyée sur le cadre de porte. Chaussée de ses infâmes Crocs vert fluo, elle ne portait que sa camisole. J'étais hypnotisé par la finesse des bretelles, haubans tendus par une voile gonflée.

— Bonne journée, mon bel archiviste. Travaille pas trop fort.

Elle se foutait de ma gueule et je l'aimais encore plus. Je lui ai soufflé un baiser (je devenais kétaine en vieillissant), qu'elle a capté et fait disparaître dans son décolleté. Elle avait raison. Nous avions un enfant en santé, il faisait beau, le trafic était mystérieusement fluide et j'avais encore un salaire. Sous ces auspices d'austérité, on trouvait plus mal pris.

Comme chaque matin, le stationnement de la garderie Les Petits Loups était congestionné. Je me suis garé dans l'espace réservé au magasin de lingerie taille plus, en espérant qu'une grosse madame ne choisirait pas ce moment pour magasiner des soutiens-gorge.

Nestor était de bonne humeur. De son index omnipotent, il indiquait les détails de son environnement. Un écureuil, un soulier dans un arbre, rien n'échappait à son émerveillement.

— Caca, papa. Papa, caca !

Il indiquait une bouse de chien avec ravissement. En plus de ses babils complexes, il connaissait trois mots : maman, papa et caca. Trois termes qui synthétisaient les fondements de son existence. J'avais toujours trouvé injuste la proximité phonétique entre *caca* et *papa*. C'était sans doute très malsain pour le développement d'un enfant d'associer son père à quelque chose de mou et malodorant. Comparé au mielleux miam-miam du mot *maman*, *papa* partait avec deux prises.

À la garderie, Nestor s'est précipité dans les bras de son éducatrice, Tania, une pure féerie d'origine sri-lankaise, avec des yeux de manga capables de convertir un djihadiste au bouddhisme. Les enfants l'adoraient. Les pères aussi. Avant de partir, je l'ai vue se pencher pour réajuster la couche de mon gars. J'ai eu un choc en apercevant son string, couleuvre rouge s'enroulant sur ses hanches d'airain.

À la radio, la chroniqueuse météo soutenait avec excitation qu'il fallait remonter jusqu'en 1954 pour trouver un printemps aussi ensoleillé. Avec une sollicitude infantilisante, elle nous exhortait à nous enduire de crème solaire et à boire beaucoup d'eau. J'aurais voulu la rassurer ; au fond de ma caverne, je n'avais rien à craindre des assauts de Galarneau.

Au travail, j'ai pu me stationner en bordure, sous la fraîcheur du grand érable. En été, cet espace était aussi convoité que les places à l'ombre d'une corrida madrilène.

L'édifice du ministère des Structures et de la Réorganisation était monumental. Une construction néo-classique en pierre grise, digne des plus imposants temples grecs. Soutenant un fronton surbaissé, douze colonnes doriques, à la fois massives et effilées, convergeaient vers le ciel et accentuaient l'insignifiance des humains, qui se pressaient à l'intérieur comme des insectes dans leur nid.

Dans l'ascenseur bondé, j'ai entendu des soupirs de passagers s'apercevant qu'il fallait faire un détour à la cave avant de s'élever dans les hauteurs.

Agressée par les néons souterrains, ma bonne humeur a capitulé instantanément. En progressant dans le corridor, j'étais envahi par une sourde mélancolie. Au plus sombre de l'hiver arctique, pour éviter de basculer dans le désespoir, les Inuits se gavent de gras de phoque bourré d'oméga 3. Il paraît que ça peut rendre euphorique.

À l'orée de la voûte, la bibliothécaire Ariane lisait à la lueur d'un panneau de luminothérapie posé sur son bureau. C'était sans doute un heureux succédané au phoque cru. Monique était déjà à son poste, la bouche pincée, pianotant avec frénésie sur son clavier. Mais que pouvait bien être la nature de son travail ? Nous avons échangé un timide bonjour. Je me suis effondré sur ma chaise et j'ai ouvert l'ordi. Toujours pas de code.

À ma gauche, les rayonnages infinis de la documentation m'attiraient. Une attirance gravitationnelle, vers un trou noir d'information. Je me suis levé pour explorer la nébuleuse des Archives.

En périphérie de la galaxie se trouvaient des grandes tables sur lesquelles étaient empilées des caisses et des documents épars. Des rouleaux de carton contenant des cartes étaient appuyés sur les tables comme des fusils dans une armurerie. Je feuilletais des dossiers au hasard. « Approche systémique et modélisation, nouveaux paradigmes d'un protocole opératoire ». « Structure de décomposition des activités et arborescence fonctionnelle : limites et perspectives d'un nouveau champ lexical ». J'aimais ces titres abstraits, évoquant des grimoires rédigés dans une langue inconnue.

Composée de documents non classés dispersés pêle-mêle en bordure d'un système ordonné, la partie des tables et des cartes correspondait à une ceinture d'astéroïdes. Les rayonnages formaient une planète d'une densité inouïe. Je me suis engagé dans un labyrinthe d'allées sans fin, bordées par des centaines de milliers de documents. Ils n'avaient pas l'air d'être consultés souvent. J'étais néanmoins écrasé par la gravité du savoir gouvernemental. En me retournant, j'ai aperçu Monique au loin, ultime repère d'humanité aspiré dans le point de fuite des étagères.

Plus je progressais, plus l'éclairage devenait d'un bleu diffus apaisant. Je longeais les allées en laissant ma main traîner sur la tranche des ouvrages alignés comme des briques. Je tournais à gauche, à droite, puis encore à gauche. Plus je m'enfonçais, plus les documents étaient vieux et jaunis, comme les parchemins de la bibliothèque d'Alexandrie. Au bout d'un moment, j'ai remarqué que les rapports étaient tapés à la machine. En m'éloignant dans l'espace, je reculais dans le temps. J'étais au cœur de la mémoire de l'État.

Et puis je me suis aperçu que j'étais égaré. Littéralement perdu. Marchant à grands pas dans une allée, je m'arrêtais au bout, ne sachant où tourner. J'ai fini par courir, avant de m'arrêter, haletant. Pivotant sur moi-même, je tentais de retrouver mon chemin. Je me suis immobilisé pour tenter de repérer le son du clavier de Monique. Mais je n'entendais que le ronronnement des néons et le *bass drum* emballé de mon cœur. La panique montait en moi avec la rapidité de la marée au Mont-Saint-Michel. J'étais emmuré dans le papier, perdu dans l'information. J'avais le souffle court et je suais. De l'air ! Appuyé sur un rayon, j'ai détendu mon nœud de cravate avec de grands mouvements désespérés, comme pour me défaire de l'étranglement d'un serpent.

— Ça va ?

Surgie d'on ne sait où, Ariane me regardait avec inquiétude.

— J'ai besoin d'air.

— Viens.

Elle s'est mise en marche. Je la suivais de près, paniqué à l'idée de la perdre de vue. Elle progressait sans hésiter, tournant franchement à gauche, à droite et encore à gauche. Elle portait un tailleur et un collant avec des petites fleurs.

Nous sommes finalement sortis du dédale des étagères. Monique pianotait, Clément placotait, et Patrice tablettait. C'était rassurant de les revoir. Toujours à la remorque d'Ariane, j'ai tenté de me redonner une contenance en refaisant mon nœud de cravate. Patrice m'a fait un clin d'œil en levant le pouce. Le con pensait qu'on avait foufouné dans les archives.

Ariane m'a mené à une petite porte latérale qui donnait sur un jardin. Le soleil était éblouissant. Les yeux fermés, respirant profondément, je me chargeais de lumière comme un reptile.

— Es-tu correct ?

— Ça va mieux. Merci.

— Cherchais-tu quelque chose en particulier ?

— Pas vraiment. Je me promenais.

— T'es mieux de ne pas retourner là tout seul.

Son ton était ambigu. Je ne savais pas si c'était un conseil ou un avertissement. J'étais incapable de déterminer la couleur de ses yeux derrière ses lunettes blanchies par le soleil. Elle a posé une main légère sur mon épaule avant de rentrer.

C'était la pause. J'ai pris un café infect au local du personnel. Ariane a continué vers la bibliothèque. Patrice s'est précipité sur moi comme le virus Ebola.

— Pis, avec la petite?

Mon sourire énigmatique a confirmé ses soupçons. Il n'en revenait pas.

— Ah, mon ostie.

J'ai mis mon index sur mes lèvres en clignant de l'œil. Il a cligné lui aussi en fermant une fermeture éclair invisible devant sa bouche. Quel connard! J'avais gagné sa complicité; c'était l'essentiel.

J'ai accroché le directeur du Service des archives, qui touillait son café avec un linguini. L'écologisme est pavé de bonnes intentions.

— Salut, Serge. Est-ce que tu sais quand je vais avoir le code pour mon ordi?

Il a aspiré son café trop chaud du bout des lèvres.

— Justement, je viens de parler à l'Informatique. Avec tous les mouvements de personnel, ils sont débordés. Mais ils m'ont dit qu'ils s'occuperaient de toi rapidement.

— Mais qu'est-ce que je peux faire en attendant? C'est quoi, mon travail, au juste?

— T'es pressé, j'aime ça. Parle à Clément. C'est notre vétéran. Il va tout te montrer.

Me montrer quoi? À parler sur le bout de la langue au téléphone?

— OK. Merci.

Ce directeur était un maître en aïkido. Je venais vers lui et il me redirigeait ailleurs. Par un hasard improbable, Clément était seul à la table à café. Il s'empiffrait des restes d'un muffin en raclant le papier avec ses dents. Une colonne de miettes tombait sur son polo mauve. Il dégageait une odeur de sueur et de parfum bon marché. Je me suis approché prudemment.

— Salut, Clément.

— Salut.

Il a projeté des miettes devant lui. Un véritable verrat. Heureusement, j'avais gardé mes distances.

— Serge m'a dit que tu pourrais me montrer mon travail.

— Ton travail?

— Mon travail aux Archives. C'est quoi, ma job?

— Aux Archives, on fait surtout du classement. Moi, ça fait cinq ans que je suis ici. Il me reste un mois. Après ça, je prends ma retraite. Trente ans au ministère. J'ai pas vu le temps passer. Je vais m'ennuyer de la gang, c'est sûr, mais j'ai des projets : voyage, lecture…

Coutil m'avait piégé. Il était évident que le clown ne me serait d'aucune utilité. Il aspirait tout vers lui, comme un trou noir. Nous étions seuls dans le local.

— Merci, Clément. La pause est finie. Faut retourner travailler.

*

Comme tous les vendredis midi, j'affrontais Gilles au squash. Courtaud et puissant, il était toujours bien placé. Moi, j'étais plus mobile. Ce que je lui concédais en voilure, je le gagnais en gouvernail. Mon défi était de le faire courir, mais il était très endurant. C'était notre premier affrontement depuis ma mutation et ça me faisait du bien de frapper.

La balle rebondissait avec le bruit d'un fusil muni d'un silencieux. Dans notre cube, nous analysions mille paramètres à la seconde pour évaluer les rebonds et calculer nos déplacements. Deux commandos à l'assaut d'une ville infestée de tireurs d'élite. Sitôt l'attaque effectuée, il fallait retraiter en défense. La menace pouvait surgir de partout, tous les angles devaient être surveillés. La peinture du fond était écaillée à hauteur d'homme, comme un mur mitraillé par un peloton d'exécution. La réverbération de l'enclos compliquait les communications. Entre les échanges, on se rappelait le pointage. Quelques codes monosyllabiques. Comme des soldats dans leur casque d'écoute. Ta gueule, pis fesse. Ça résumait bien le squash. Et l'armée.

De retour aux vestiaires, nous étions vannés. Nos duels serrés nous laissaient au bord de l'épuisement. Cette fois, j'avais combattu avec une hargne inhabituelle et j'avais eu le dessus. N'importe quel étudiant en psycho aurait déduit que je compensais sur le terrain mon impuissance au travail.

Gilles me tournait le dos en s'épongeant le visage d'une serviette. À la hauteur des omoplates, la sueur imprimait deux grandes ailes sombres sur son t-shirt. En l'enlevant, il a révélé un dos d'une rare pubescence. Paradoxalement, une calvitie avancée lui faisait une tonsure parfaite sur le haut du crâne. Ses poils étaient comme la richesse mondiale : abondants mais mal répartis. Il n'y a pas de justice. Il s'est retourné.

— Sais-tu comment on appelle ça, la tablette, au ministère ? Le Club Med. Mise en disponibilité.

— C'est exactement ça. Tout le monde est en vacances. C'est le théâtre du travail. Avec des décors, des accessoires, une mise en scène et des rôles très définis. Le pire, c'est qu'à force de faire croire à un public imaginaire qu'ils travaillent, les personnages ont fini par le croire eux-mêmes. Je vais virer fou, le gros.

— Mais pourquoi t'écris pas ? Depuis le temps que tu veux écrire. T'as un bureau, t'es payé, t'as rien à faire. T'as plus d'excuse, le grand.

J'étais pris de court. Je fixais son torse, dont les poils trempés s'aggloméraient comme les pics torsadés d'une meringue. Pourquoi pas.

— Après *Martine à la plage, Fred au Club Med*.

Il m'a fouetté avec sa serviette pleine de sueur en riant.

*

De retour au « travail », j'étais dopé par l'endorphine. Plus que quelques heures avant la fin de semaine. Au module Analyse et statistique, les vendredis étaient toujours plus relax. On planifiait surtout la semaine suivante. On se visitait dans nos cubicules. Aux Archives, c'était carrément la récréation. Sauf pour Monique, qui s'obstinait à effectuer des tâches obscures avec un zèle buté. C'était presque admirable.

Même le verbiage de Clément au téléphone ne me dérangeait pas.

— Ben c'est ça, je m'en vas. (…) Oui, dans un mois. (…) C'est sûr que je vais m'ennuyer. Mais je vais revenir vous voir.

Il faisait le tour de ses connaissances au ministère pour annoncer son départ à la retraite. C'était presque touchant.

Patrice était moins grincheux qu'à son habitude. Il m'entretenait avec verve de son swing de golf, qu'il avait amélioré cet hiver grâce à des séances de simulation. Avec un rouleau de carton qu'il avait saisi près de ma table, il mimait son élan, en insistant sur la position de la tête. C'était presque intéressant.

À Athènes, j'ai décidé de faire comme les Grecs. J'ai lu *L'Iliade* sans remords, fasciné par l'emprise d'Achille sur sa cohorte de Myrmidons. En échange de leur vaillance au combat, il leur promettait l'immortalité. Le simple fait qu'on lise encore leur nom deux millénaires et demi plus tard prouve qu'il avait raison. Tout le contraire de nous. Le directeur de mon nouveau service avait plutôt l'air d'un centurion décadent attendant la relève dans son camp de Bibendum. Les soldats des Archives étaient voués à la déchéance et à l'oubli.

En vertu de l'horaire d'été, nous étions autorisés à partir dès 15 heures 30. À 15 heures 25 précises, on a levé le camp en même temps. Infatigable, Ariane classait des livres. Dans l'ascenseur, la bonne humeur de chacun était tangible. Patrice avait décrété une trêve avec Clément. Ils discutaient avec intérêt d'une nouvelle émission de téléréalité mettant en vedette des animaux dans un zoo. Clément était persuadé que le chimpanzé animait lui-même son compte Twitter. Quant à Monique, elle profiterait de la fin de semaine pour planter ses fleurs annuelles dans ses plates-bandes.

À l'extérieur, un puissant soleil allongeait les ombres des colonnes du temple, barreaux d'une prison titanesque. Tous les fonctionnaires du ministère se précipitaient vers leur auto avec la fébrilité des détenus profitant d'une sortie sans escorte. Durant ces deux jours, nous allions goûter chaque seconde de notre liberté.

Protégé par l'ombrage du grand érable, l'habitacle de mon auto restait supportable malgré la chaleur. À cette heure, le trafic était complètement coagulé. À la radio, les animateurs commentaient avec dérision une exposition de statues grecques au musée Payé-par-mes-taxes. Ils se gaussaient de la petitesse des pénis des sculptures. Était-ce un idéal de beauté lié à l'éphébophilie de l'époque, ou est-ce qu'effectivement les proportions étaient plus réduites dans l'Antiquité ? Le débat était lancé.

Sur la terrasse de la cour arrière, Marieke m'attendait avec Nestor et un gewurztraminer glacé.

— Ah ben, si c'est pas monsieur *burn-out*.

Je me suis penché pour l'embrasser dans sa chaise longue. Sa peau nordique était rougie par le soleil.

— Tu ris, mais je suis claqué. C'est épuisant de rien faire.

— J'en doute pas.

Même après neuf ans de vie commune, je ne savais jamais vraiment comment décoder ses paroles. Était-elle compatissante ou sarcastique ? Son éternel sourire de renard en coin me déstabilisait. Elle était gyroscopique. Avec elle, je trouvais mon équilibre dans le mouvement. Elle m'a tendu un verre. Je n'avais plus aucun doute sur sa compassion. C'était frais, avec un goût de litchi et de clémentine.

Nestor était occupé avec ses jouets dans le carré de sable. Il était coiffé d'un chapeau grotesque à bord trop grand, qui lui donnait l'air d'une grosse fleur. En l'embrassant, j'ai avalé la moitié du sable qu'il avait autour de la bouche. Je l'ai rejoint dans son jeu favori : creuser des trous. J'allais bousiller mon pantalon, mais qu'importe. Même le concert de tondeuses des voisins n'allait pas gâcher ma fin de semaine.

Je me délectais du plaisir qu'avait mon petit homme à lancer du sable avec sa pelle. Inlassablement, il prenait une pelletée, projetait les grains en les regardant se disperser dans l'espace, éclatait de son rire cristallin en agitant ses mains, puis recommençait. Ce simple geste le grisait comme s'il avait découvert la télékinésie. C'était pour lui une occasion de confirmer sa présence dans le monde, d'avoir une prise sur le réel, d'infléchir le cours de l'univers à sa guise. À son échelle, il incarnait un dieu remodelant sa création. L'application la plus pure du concept nietzschéen de volonté de puissance.

*

Le soleil glissait doucement derrière la maison du voisin. Les tondeuses s'étaient tues. À l'apogée de sa gloire éphémère, notre lilas déployait l'artillerie de ses pastels et bombardait tout le quartier de ses effluves.

Aux commandes du barbecue, j'étalais toute ma science et reprenais le contrôle de ma vie. Après avoir lu les trois livres du gourou du gril Steven Raichlen, j'avais finalement diminué la quantité d'huile dans mes marinades, évitant ainsi les colonnes de flammes carbonisantes. Au lieu du citron, j'employais la lime, moins acide, avec beaucoup d'ail et du romarin.

Nous mangions tous les trois sur la terrasse à la lueur de bougies à la citronnelle. Juché sur sa chaise haute, comme un empereur sur son trône, Nestor s'empiffrait en babillant. Sous la table, je caressais discrètement les jambes de Marieke. Son nano short me laissait toute latitude pour explorer ses longues cuisses. Elle me regardait en léchant ses doigts. Les côtelettes étaient parfaites. La soirée aussi.

Marieke finissait le vin pendant que je donnais le bain au petit. Si la révolution féministe avait permis à la femme de devenir l'égale de l'homme, l'inverse était aussi vrai. En matière de parentalité, les pères étaient dorénavant aussi importants que les mères. Bien sûr, les hommes ont pu se sentir bousculés et placés devant le fait accompli : « Les couches sont là, le lait est dans le frigo, je rentrerai pas tard, chéri. » On ne fait pas d'hommes sans casser d'œufs. Par définition, les révolutions sont brutales. Une révolution tranquille est une révolution inachevée. La révolution féministe a réussi parce qu'elle a bouleversé durablement et pour le mieux l'ordre établi. C'était certainement la plus grande avancée sociale du dernier siècle.

Nestor s'aspergeait en tapant dans l'eau. Ses cils mouillés accentuaient l'émerveillement de son regard. Que se passait-il dans sa petite tête ? Que comprenait-il de la turbidité, de la turbulence et de la viscosité des fluides ? Stimulés par les sensations de l'eau perçues par son corps, des milliers de neurones se connectaient pour la première fois, déployant l'arborescence d'une intelligence qui durerait toute sa vie.

Il adorait aussi flotter sur le dos, sa tête dans ma main. Détendu. Yeux fermés. Dérivant dans le cosmos de ses pensées, il réactivait des souvenirs aquatiques de son séjour *in utero*. Les humains sont des batraciens. On commence notre vie dans l'eau, comme les têtards.

Dans la quiétude de sa chambre, je fredonnais à mon fils un classique de Hugues Aufray en guise de berceuse. « C'est un fameux trois-mâts fin comme un oiseau, hisse et haut, Santiano. » Nestor s'est endormi avant la fin de son biberon, terrassé par une longue journée au soleil. J'ai déposé le poussin dans son nid et je suis sorti sur la pointe des pieds avec le sentiment du devoir accompli. L'autre devoir maintenant.

Dehors, la nuit était tombée. Les fenêtres éclairées des voisins étaient des télés ouvertes sur leur vie. Étalée sur une chaise longue, Marieke m'attendait, un verre à la main. Je me suis penché sur elle pour l'embrasser. Alanguies par l'alcool, ses lèvres goûtaient le litchi et la clémentine. Elle m'a fait boire le reste de son verre. En remontant sa camisole pour lui caresser le ventre, j'ai vu que la coquine avait retiré son short. Elle n'avait que son string. Mon préféré, celui avec la chaînette sur les côtés. Le string était la meilleure invention depuis le lait pasteurisé. À l'arrière, une césure entre deux hémistiches. À l'avant, un rempart de dentelle contre les assauts du désir.

D'une main experte, elle a écarté le string en l'enroulant autour de son index. Lesté par ma ceinture, mon pantalon est tombé sur la terrasse avec un bruit sourd. Couchée sur le dos, elle a levé ses pattes en V. Je suis entré en elle avec douceur et conviction. Une ancre m'empêchait cependant de larguer les amarres. J'ai lancé ses horribles Crocs au bout de mes bras. L'un a atterri dans le buisson de potentille. L'autre a percuté le barbecue avec un « clang ! » retentissant. Nous avons pouffé en nous embrassant pour étouffer nos rires.

Il faisait incroyablement doux. Les chandelles étaient éteintes. Nous avons fait l'amour en silence, fiers et complices. Nous commémorions la fertilité de notre amour. Un amour immortel, encodé dans le génome de notre fils.

*

Ce sont les gazouillements matinaux de Nestor qui m'ont réveillé. Assis dans sa couchette, il faisait ronger les barreaux à son dragon Tison. Comme s'il planifiait son évasion. La toile de sa fenêtre laissait passer une douche de soleil, qui l'illuminait comme un bouddha rieur. Depuis combien de temps était-il éveillé ? Je l'ai pris dans mes bras. Il était tout heureux de quitter sa prison. À chacun sa sentence. La sienne durait une nuit derrière les barreaux de sa couchette. Pour moi, c'était une semaine au cachot du ministère.

Je l'embrassais sur ses grosses joues en riant. Il me lichait le nez en faisant le petit chat. Son haleine était incroyablement fraîche. Rien à voir avec ma propre exhalaison matinale, âcre et fétide. Selon Marieke, j'aurais pu décaper un char d'assaut en soufflant dessus dès le saut du lit.

Jusqu'à vingt ans, le corps humain se construit. Après ça, c'est le lent et inéluctable processus de vieillissement qui s'amorce. Soumis à la sénescence, les tissus, les organes et les structures se désagrègent graduellement jusqu'à la décomposition finale.

Alors que mon fils s'était régénéré durant la nuit, je m'étais détérioré encore un peu plus. J'aurais beau utiliser les parfums les plus fins et les rince-bouche les

46

plus puissants, en vieillissant, j'allais sentir de plus en plus mauvais.

Et pour paraphraser un président français, à l'odeur, il fallait ajouter le bruit. Craquements d'os et de cartilages, éructations, reniflements, râles et vents en tous genres, en vieillissant, le corps émet de plus en plus de sons. Comme si ça ne suffisait pas, les vieux ont tendance à commenter à voix haute la moindre de leurs actions. Vieillir, c'est ajouter une trame sonore à sa vie.

C'était un samedi tout désigné pour un pique-nique au parc. J'avais tout préparé pendant que Marieke lisait au lit. Tout est un bien grand mot. J'avais oublié les verres et l'ouvre-bouteille pour le rosé. Et, bien sûr, je n'avais pas pris la nappe. Mais j'ai sauvé la mise de belle façon. Des employés municipaux finissaient d'installer une glissade dans un module de jeu. Sous leurs yeux médusés, j'ai emprunté leurs outils pour ouvrir la bouteille. Un vieux truc de feu mon père. Il s'agissait d'enfoncer une vis aux trois quarts du bouchon, pour ensuite retirer le tout avec des Vise-Grip. Aussi facile que spectaculaire. J'ai offert une gorgée aux gars pour les remercier, avant de rejoindre Marieke et Nestor, triomphant. En tant qu'intellectuel, j'accordais une grande importance au respect des travailleurs manuels. Impressionner mes patrons avec des analyses causales et des calculs vectoriels, je savais faire. Mais épater des cols bleus avec un savoir-faire familial, ça n'avait pas de prix.

Nous avons mangé des sandwichs au jambon sur une table de pique-nique maculée de guano en buvant le vin au goulot. Marieke tenait à saluer mon initiative.

— Merci, Freddi chéri. C'est un très beau pique-nique.

Mon détecteur d'ironie oscillait à zéro, mais je pouvais me tromper.

— Les filles, vous vous plaignez tout le temps que les gars font rien dans la maison, mais c'est parce que vous acceptez pas que les choses soient faites à notre manière. Vous exigez du romantisme, mais vous castrez toutes nos initiatives sous prétexte que les *napkins matchent* pas avec les chandelles.

— Mais non, c'est parfait. Un peu rustique, mais parfait. On s'en fout de la nappe. Il paraît que le caca de pigeon, c'est rempli de potassium.

Après dîner, je surveillais Nestor alors qu'il parcourait les modules de jeux. Allongée sous un arbre, Marieke siestait. Le soleil et le rosé tapaient fort. J'attendais le petit homme au bout d'un tuyau à l'intérieur duquel il avançait à quatre pattes. En plus de la motricité, les modules de jeux permettent aux enfants de développer leurs habiletés sociales.

Il y avait foule au parc et la nouvelle glissade était très populaire. La file était composée d'enfants de tous âges. Impatient, un grand de trois ans a bousculé un petit en passant devant tout le monde. Sa mère est accourue pour le réprimander et le forcer à faire ses excuses au bambin, qui pleurait en morvant dans les bras de son père.

Pédophobe notoire, Michel Houellebecq a qualifié les enfants de « nains vicieux ». C'est réducteur, mais malheureusement vrai. Laissés à eux-mêmes, les enfants sont des animaux violents et amoraux. Leur univers est une jungle d'égoïsme où les plus faibles n'ont aucune chance. Pour avoir affirmé que « l'homme naît bon », Jean-Jacques Rousseau n'a jamais fréquenté un parc d'enfants.

Nestor avait disparu ! Il n'était plus dans le tuyau. Je l'avais quitté des yeux trois secondes et il s'était volatilisé. Affolé, j'ai regardé autour. Des enfants couraient partout en riant, mais pas le mien. Mon cœur était contracté comme un poing. Je ne trouvais plus mon fils ! Il ne pouvait pas être très loin. À moins de s'être fait enlever. Je tournoyais sur moi-même, à la recherche d'un barbu en imperméable s'enfuyant avec mon garçon. J'ai tenté de me calmer. J'avais dû mal regarder. J'ai fait le tour du module et j'ai bondi sur la plate-forme.

Il était là, caché derrière un plus grand, s'amusant à faire tournoyer un volant. Il avait dû emprunter une sortie latérale dans le tuyau. Je me suis rué sur lui pour le prendre dans mes bras. Je le submergeais de baisers en le serrant trop fort. Mon inquiétude dégonflait lentement. Il montrait le volant en regimbant, inconscient de la frousse qu'il m'avait causée.

Tous les parents connaissent l'angoisse causée par un enfant disparu dans un lieu public. Durant ces quelques secondes, ils imaginent le pire et leur monde s'effondre. Un cratère s'ouvre sous leurs pieds et c'est à la béance du gouffre qu'ils mesurent la grandeur de leur amour.

*

— Haut, papa ! Haut !

Je poussais Nestor dans la balançoire de notre cour. Petit pendule pépiant, il ne se lassait pas d'osciller dans la lumière d'un soleil qui se couchait trop vite. En cette fin de dimanche, mon bonheur déclinait au même rythme que la clarté. Submergé par le spleen, des images glauques de paravents et de néons remontaient à la surface de mes pensées comme des noyés au ventre gonflé.

Les enfants du voisinage profitaient des dernières lueurs de la fin de semaine. Demain, ils seraient assis sagement à leur pupitre, à peiner sur des participes passés. Mais, pour l'instant, leurs rires éclataient comme les cris d'une volée d'outardes. Alors que je déprimais en anticipant la semaine à venir, la pleine conscience de la jeunesse résonnait dans l'instant présent.

Au souper, j'étais emmuré dans ma morosité. Marieke avait peine à croire la description que je lui faisais du Club Med. Elle me questionnait sur mon travail, sans ironie.

— La vérité, c'est qu'y m'ont crissé dehors. J'ai encore un salaire, mais j'ai pus de job. Pis, même si j'en avais, j'ai pas mon ostie de code pour ouvrir l'ordi.

Comprenant qu'il valait mieux me laisser ruminer, Marieke est allée donner son bain à Nestor. Après la vaisselle, je l'ai rejointe alors qu'elle lisait au lit. Une surprise m'attendait. Elle s'était ornée de son déshabillé noir. Une prodigieuse architecture textile qui cintrait sa taille, révélait ses fesses et galbait ses seins. Je me suis allongé contre elle en souriant bêtement. Soudainement, mon moral était aussi remonté que ses seins. Elle continuait sa lecture comme si de rien n'était. Pas un mot. Une délicieuse tension sexuelle en suspens. Nous avons laissé gonfler l'orage. Tout en partageant sa lecture, je testais l'élasticité du tissu sur sa peau.

Dans *Les Bienveillantes*, Max Aue avait survécu au siège de Stalingrad. Promu *SS-Sturmbannführer*, il avait été chargé par Himmler lui-même d'augmenter la productivité des « travailleurs » dans les usines du Reich. En tournée à Birkenau, le commandant nazi se demandait comment les villageois pouvaient prétendre ignorer ce que les fours du camp brûlaient pour émettre autant de fumée, dont l'odeur rappelait les mauvaises bougies en suif animal.

Avec la distance, il est facile de distribuer les verdicts de culpabilité. La vérité, c'est qu'au théâtre de l'Histoire, chacun joue son rôle et ignore les détails de la pièce. Il faut imaginer des acteurs qui n'ont accès qu'à leur propre texte et qui ignorent tout de l'issue du drame. Seuls l'auteur et le metteur en scène peuvent être tenus responsables du résultat des actions des personnages. Quant au public, il assiste impuissant à la narration des événements.

Concernant les horreurs nazies, la seule question valable n'est pas de se demander si le peuple allemand était coupable d'aveuglement volontaire, mais bien ce qu'on aurait fait à sa place. Pour comprendre le monde, l'empathie est infiniment plus utile que la culpabilisation.

Quant à moi, j'étais mal placé pour juger qui que ce soit. Petit rouage anonyme au sein d'une mécanique complexe, j'effectuais mon boulot (du moins jusqu'à mon transfert aux Archives) avec la conviction d'être moralement bon. Mais qui sait à quelles fins était utilisé mon travail ? Dans une bureaucratie, le cloisonnement des tâches augmente l'efficacité, mais aussi la déresponsabilisation. Le cheminot conduit le train. Le soldat transporte les barils de Zyklon B. Le sergent appuie sur le bouton. Au bout du compte, six millions de Juifs sont gazés. Moi, je produisais des rapports. J'ignorais ce qu'en faisaient les gestionnaires et les politiciens. Qui sait si la décision de rationalisation des structures dont j'étais moi-même victime avait été prise sur la foi de mes propres analyses.

— Bon, ça suffit, les nazis.

Marieke a balancé le livre sur sa table de chevet et, avant que j'aie pu réagir, elle a roulé sur moi en me plaquant les poignets sur le matelas. À califourchon, elle frottait son bassin contre le mien et m'écrasait ses gros seins pleins dans le visage.

— Le code, monsieur l'archiviste ! Je veux le code ! Vous allez parler !

Ma réponse se perdait en marmonnements étouffés dans sa chair. Relevant le buste, elle me permettait de reprendre mon souffle quelques secondes, avant de m'asphyxier de plaisir. Je me suis défait de mon emprise et je l'ai soulevée par les fesses avant de l'empaler d'un seul coup. Elle s'est raidie en se cambrant vers l'arrière. Elle était tellement arquée que ses cheveux me chatouillaient les chevilles. Je grognais comme un loup-garou. Ma femme était formidable. Nous avons foufouné furieusement.

Nestor, six ans, est couché dans son lit. Frédérick, quarante-cinq ans, achève de le border. Une veilleuse de Spiderman jette une flaque lumineuse près de la porte.

— *Je suis pas fier de toi, mon grand. Aujourd'hui, c'était ma fête. Je t'avais demandé juste une chose comme cadeau : me laisser dormir. Toi pis ta sœur, vous avez été insupportables. Toute la journée.*

Nestor s'enfouit la tête sous la couverture. Frédérick découvre le visage de son fils et poursuit la réprimande.

— *Ça veut pas dire que je t'aime pas, mais je suis déçu de toi. J'aurais aimé ça que tu sois gentil pour ma fête.*

Le visage du garçon est buté comme une porte.

— *As-tu quelque chose à me dire ?*

Nestor regarde fixement son père d'un regard dur.

— *J'aimerais que tu quittes ma chambre.*

Stupéfié, Frédérick se lève et sort.

L'allégresse de la fin de semaine avait immuablement cédé la place à la dépression du lundi matin. Nestor était d'une humeur atroce. Il avait mal dormi et refusait de quitter les bras de sa mère. Elle a pratiquement dû l'attacher de force à son siège d'auto, alors qu'il s'agrippait à ses cheveux. C'était aussi déchirant qu'insupportable. Tout ce qui me restait de bonne humeur se dissolvait dans ses pleurs.

— Mamaaaannnn!

Comme à son habitude, Marieke a refermé la portière en la claquant si fort que l'auto en a tremblé. Les femmes en général, et la mienne en particulier, pouvaient se montrer d'une rudesse inouïe envers les objets, elles pourtant si douces et maternelles avec leur bébé. *A contrario*, comment des hommes aussi attentionnés envers leurs outils pouvaient-ils être aussi négligents avec les humains?

Le trafic était infernal. À la radio, les animateurs (dont les horaires matinaux leur permettaient pourtant d'échapper à toute circulation) pestaient contre les cyclistes et les voies réservées. Gavés de rage, les conducteurs agressifs et stressés multipliaient les manœuvres dangereuses et les accrochages.

Nestor m'a hurlé dans la nuque jusqu'à la garderie. En le remettant à Tania, j'avais l'impression de lui laisser un petit volcan en éruption. Alors qu'il n'en avait que pour sa mère quelques minutes auparavant, j'étais soudainement devenu le centre de son univers.

Tout rouge, il hurlait en tendant ses petites mains vers moi.

— Papaaaa !

Tania le réconfortait alors que je lui offrais un dernier câlin. Elle tenait l'enfant à la hauteur de sa poitrine parfaite et je pouvais sentir son parfum des mille et une nuits en embrassant mon fils. Quelques centimètres plus à droite, et mes lèvres auraient exploré la courbure troublante de son cou. En professionnelle, Tania était tout occupée à consoler Nestor, sans se soucier du malaise que je ressentais à m'épancher affectivement aussi près d'elle. Je me suis sauvé comme un lâche. Mon gars était entre bonnes mains et ses yeux seraient secs avant même que j'aie gagné mon auto.

Aux Archives, la gueule de bois du lundi matin frappait tout le monde. Plus grognon que jamais, Patrice chialait contre le trafic en reprenant mot pour mot le réquisitoire des animateurs de radio. Clément avait la face rouge comme une brique. S'embourbant dans les détails, il nous a raconté qu'il s'était endormi au soleil dans son hamac. Levant à peine les yeux de sa tablette, Patrice a lancé :

— Crisse de clown.

Il avait raison, mais toute vérité n'est pas bonne à dire. Entre ces deux-là, la trêve était terminée. Indifférent à l'hostilité de Patrice, Clément s'est jeté sur le téléphone pour raconter sa mésaventure à qui voulait l'entendre.

— Tu devrais me voir la face. Un vrai homard.

Annonçant la fin de la récréation, le cliquètement du clavier de Monique s'est mis en marche. J'ai bien tenté de me replonger dans la guerre de Troie, mais je n'avais pas le cœur à m'immerger dans les exploits militaires d'Achille. Mes pensées dérivaient dans des eaux sombres et stagnantes.

Je regardais mes voisins à la dérobée. Je les imaginais travailler pour la SS pendant la Seconde Guerre. Monique était la parfaite secrétaire studieuse et docile, en costume gris toujours impeccable. Agressif et frustré, Patrice aurait fait un excellent caporal responsable du tri des détenus au sortir du train ; gueulant en allemand et frappant des prisonniers maigres comme des épouvantails. Le directeur des Archives personnifiait l'incompétence du commandant ignorant volontairement les atrocités commises dans les camps par ses subordonnés. Ariane incarnait la mystérieuse agente de liaison autrichienne. Quant à moi, mes capacités d'analyse et de synthèse auraient été très utiles au SD, le service de renseignement.

J'observais Clément bavasser avec sa face de poisson rouge aux yeux exorbités. Tout ridicule et détestable qu'il soit, je n'arrivais pas à lui trouver un rôle chez les SS. Son imbécillité le protégeait de toute méchanceté. Il n'y avait pas de place pour les clowns dans l'Allemagne nazie. Ça le rendait presque sympathique. Mais pas plus supportable. Exaspéré par son placotage, je suis allé m'enquérir de mon code au directeur.

Coutil était occupé à vider des boîtes. Un foutoir de bacs et d'emballages à bulles s'étalait dans son bureau. Posté à quatre pattes, il me tournait le dos et assemblait des modules en s'escrimant avec le plan de montage. Évidemment, il portait des bas blancs dans ses sandales Birkenstock. Dix mille ans d'évolution pour en arriver là.

Tournant la tête par-dessus son épaule, il a fini par me voir.

— Assis-toi, mon Fred. Pis, comment ça va avec tes nouveaux collègues ? Ils te maganent pas trop ?

— Non, ça va. Tout le monde est très gentil. J'aimerais ça commencer à travailler. Mais, sans mon code, je peux rien faire.

— C'est pas réglé, ça? Attends un peu. L'Informatique, faut toujours les brasser pour que ça bouge.

Il s'est redressé péniblement en appuyant une main sur son genou. Il s'est frayé un chemin parmi les emballages. Sous ses pas, des bulles de plastique éclataient. Il a empoigné le téléphone avec une détermination que je ne lui soupçonnais pas.

— Ils ont beau être débordés, y a toujours ben des limites.

Il pitonnait le numéro avec aplomb.

— Martin! C'est Serge aux Archives. (…) Ça va, merci. Pis vous autres? (…) Vous autres aussi? (…) Combien? (…) Calvaire. Qu'est-ce que tu vas faire?

J'ai compris que je n'avais rien à espérer de ce type. En grande conversation, il avait complètement oublié le but de son appel. Un peu plus et il raccrochait en criant : «Et voilà, on a les droits!» Me voyant me lever, Coutil a bloqué le combiné avec sa main en s'adressant à moi à voix basse.

— Ils ont eu des coupures. Tout le monde capote. Je te redonne des nouvelles.

J'ai pris le taureau par les cornes et je suis monté au Service de l'informatique. Je me rattachais à ce code comme à un dernier espoir de dignité. J'avais l'impression qu'avec l'accès à un ordi, je retrouverais une raison d'être professionnelle. C'était évidemment faux.

Dans l'ascenseur, la préposée souriait dans son costume ridicule. Un vrai cochon d'Inde : enfermée dans sa cage et toujours joviale.

— Bonjour, monsieur Limoges. Au troisième?

— Non, huitième s'il te plaît.

— Informatique. Un problème avec votre ordi?

Impossible de lui cacher quoi que ce soit, elle était au cœur de tous mes déplacements.

— J'ai pas encore de code. J'en ai besoin pour commencer à travailler.

Travailler, ça voulait dire faire comme Monique : produire du bruit avec mon clavier pour donner l'illusion de travailler.

— C'est pas mal le bordel à l'Informatique. Bonne chance.

Au huitième, il régnait une agitation de fin de règne. Le choc était d'autant plus dur à encaisser pour eux que les petits prétentieux de l'Informatique s'étaient toujours crus à l'abri de ce genre de bouleversement. Jusqu'à la toute dernière seconde, ils s'étaient crus indispensables, ces jeunes *nerds* en surpoids avec des t-shirts à messages au deuxième degré.

Gavés à la propagande de Goebbels, les Berlinois aussi s'étaient crus en sécurité jusqu'à la fin de la guerre. Les officiers SS avaient beau continuer à faire la fête dans la ville en ruine, la population avait dû se rendre à l'évidence : la Luftwaffe ne pouvait plus contenir les bombardiers anglais, et les Russes marchaient sur la porte de Brandebourg.

Ici aussi, il fallait se rendre à l'évidence : le Service de l'informatique venait d'être bombardé par l'austérité. Partout, chaos et cohue. Devant l'ascenseur, des ordinateurs étaient empilés sur des chariots. Profitant de ce que la secrétaire était en discussion animée avec un type à longue queue de cheval, je me suis faufilé dans les cubicules. Regard hagard, plusieurs personnes faisaient des boîtes. J'ai apostrophé un jeune avec une casquette de Goldorak.

— Salut. J'ai été transféré aux Archives y a une semaine et j'aurais besoin d'un code pour mon ordi.

— Moi, je viens de me faire crisser dehors. Ça fait que ton code, tu peux te le rentrer où ce qu'il fait toujours noir.

Je me suis dirigé vers le coin pour parler au directeur du Service de l'informatique. Derrière un paravent, quelqu'un sanglotait. La secrétaire avait quitté son poste. Je suis entré dans le bureau sans frapper. Le directeur parlait au téléphone. C'était un obèse dont les longs cheveux gras lui tombaient devant le visage. Il hurlait en tapant sur son pupitre.

— Austérité, mon cul! Vous m'enlevez la moitié de mon monde! Je vais le maintenir comment, moi, le réseau?

Sous sa veste usée, son t-shirt indiquait: «J'aime tellement mes abdos que je les protège avec du gras.» M'apercevant, il a aboyé.

— Quoi?!

Je n'avais plus rien à faire ici. Tant pis pour mon code. Au moins j'avais encore un salaire.

Après l'affolement du huitième, je savourais le calme de la voûte des Archives. En observant discrètement mes trois voisins, ça m'est tombé dessus comme la pomme de Newton. Par rapport à leur transfert au Club Med, ils représentaient chacun trois stades du deuil. Accomplissant avec acharnement un travail inutile, Monique était dans le déni le plus complet. Contaminant tout le monde avec son amertume, Patrice macérait dans la colère. Serein dans son lâcher-prise, Clément avait atteint le stade de l'acceptation. C'était peut-être lui qui avait raison.

À l'abri des bombardements dans mon bunker, moi-même je me sentais las, écrasé sous le poids de la résignation. À ce moment précis, j'avais abandonné l'idée d'être utile. À quoi bon lutter, le monde se liquéfiait autour de moi. Puisque j'étais tabletté, j'allais agir en bibelot. J'ai ouvert *L'Iliade* et posé mes pieds sur mon bureau. Patrocle était mort au combat. Son corps brûlait sur un bûcher. La douleur d'Achille était inextinguible.

À la fin de la journée, plusieurs personnes regagnaient leur auto avec une boîte et la tête basse. Pour la plupart contractuels, ils n'avaient même pas la chance d'être tablettés aux Archives. À la radio, l'animatrice du matin était en entrevue spéciale avec le gagnant d'une tasse que son équipe avait cachée dans la ville. À l'aide d'indices disséminés sur le site Facebook de l'émission par les extraordinaires recherchistes, l'auditeur avait pu mettre la main sur une magnifique tasse à café, qu'il pourrait utiliser en écoutant son émission préférée. Tout ce beau monde se congratulait. Pendant ce temps, des gens perdaient leur emploi.

À la maison, j'ai trouvé Marieke préoccupée. Elle recommençait à travailler bientôt et préparait une importante réunion pour demain. Dès mon arrivée, elle s'est esquivée dans son bureau en me disant de ne pas l'attendre pour souper. Je suis allé jouer avec Nestor dans la cuisine. En passant, j'ai pris la bouteille de vodka dans l'armoire et je l'ai déposée dans le bac à glaçons du congélateur. Je stockais des munitions. *Si vis pacem, para bellum.*

Sourcils froncés par la concentration, langue sortie, Nestor érigeait des tours en superposant des cubes de mousse multicolores. Il manipulait les blocs avec une étonnante minutie, ses doigts se refermant comme des pinces précises. La spécialisation des hémisphères n'ayant pas encore eu lieu, il utilisait alternativement ses deux mains. Plus tard, il devrait choisir son côté dominant. La vie est une somme de choix.

Inévitablement, la tour s'écroulait dans un grand ébranlement de rires. Il prenait alors plaisir à mordre à pleines gencives dans un cube de mousse. Je tentais de le lui arracher, mais le petit chiot ne voulait pas lâcher son os. En tenant le bloc, je le traînais par terre. Moi qui venais justement de renoncer à me battre au travail, j'admirais sa ténacité.

*

Nestor était couché. Marieke travaillait dans le lit. Le lave-vaisselle bourdonnait dans la cuisine. La maison était calme et sombre comme un mausolée. Par la fenêtre du salon, des lampadaires au phosphore jetaient des taches blanches dans la nuit.

Assis dans le divan, je fixais une sérigraphie de Riopelle en sirotant ma vodka. *L'envol* était le joyau de notre collection. L'œuvre représentait un hibou déployant ses ailes en avant-plan d'un amas de particules mauves pouvant représenter une forêt dans la nuit. Le Trappeur supérieur avait personnalisé chaque sérigraphie en y saupoudrant des paillettes dorées de sa main tordue par l'arthrite.

La vodka coulait en moi, m'emplissant de vide à chaque gorgée. Engourdi dans une mélancolie glacée, je sombrais lentement. Le hibou ne s'envolait plus; il avait fracassé une vitre et il allait s'écraser. Comme moi. Comme nous tous au ministère. Rester caché en attendant que le temps passe, ça ne pouvait pas être un travail. Le pire, c'était la mascarade. L'illusion quotidienne d'un travail signifiant pour ne pas sombrer dans la folie. Mais la folie, c'était justement ce mouvement perpétuel bien huilé qui tournait à vide. Le roi est nu, bordel! Il fallait au moins le dire. Ce serait mon dernier acte de courage avant de m'effriter jusqu'à la retraite.

Après une demi-bouteille de morosité, j'en ai eu assez et je suis monté. Ça tanguait, et je me suis agrippé à la rampe. Le Krieghoff était toujours croche. Devant une chaumière enjouée, un traîneau dévalait une route enneigée, mené par un équipage coloré et insouciant. Visiblement ivre, le cocher fouettait sa monture aux limites de la prudence. Incliné vers la droite, l'angle du cadre accentuait la vitesse de leur course. Allaient-ils rater leur virage ? Je n'ai pas réussi à remettre la toile de niveau.

Dans sa couchette, Nestor était recroquevillé sur le ventre, comme les corps pétrifiés dans la lave de Pompéi. Son dragon Tison était enroulé autour de lui tel un atoll protégeant un lagon. J'ai flatté le dos de mon fils en remontant sa couverture. J'étais soûl et imprécis. Mes mains devaient être froides. Il a grogné et s'est retourné sur le côté. J'ai dû me retenir de le serrer dans mes bras. Mon amour aurait pu le broyer.

J'ai rejoint Marieke au lit. Finis, les nazis, elle lisait sur sa tablette. Une mauvaise surprise m'attendait. Elle portait mon chandail rouge des Chiefs et ses bobettes blindées. Une épouvantable culotte écrue surdimensionnée, qui lui faisait un cul plat et carré. Une désagréable texture de vêtement médical. Frustration d'un enfant qui se bute à une confiserie fermée. J'ai malgré tout inséré ma main sous l'élastique trop serré. Marieke s'est raidie.

— Ah, t'as les mains froides. Pouah, tu pues le fond de tonne.

Elle m'a caressé les cheveux distraitement, mais le cœur n'y était pas. J'ai descendu ma main entre ses cuisses. C'était chaud et doux comme une pâte à pétrir.

— Écoute, faut vraiment que je travaille. J'ai une grosse réunion au musée demain.

J'ai grommelé en remontant ma main sur une de ses fesses.

— C'est quoi, l'expo ?

— Une rétrospective des automatistes.

— Cool. C'est en plein dans tes cordes.

Son mémoire en histoire de l'art était une étude comparée de l'influence sociopolitique des mouvements automatiste et dada. L'élastique de sa culotte me sciait le poignet. J'ai retiré ma main du piège pour lui palper un sein.

— Oui, pis il faut que je sois au poste.

Elle a dirigé ma main dans ses cheveux.

— Flatte-moi.

— Tu veux pas fourrer, mais moi, faudrait que je te flatte. T'es pas un chat.

Mes pensées dérapaient sur la vodka glacée.

— Monsieur l'archiviste, vous devenez grossier.

Elle a remonté sa culotte et rabattu son chandail sur ses fesses. Pont-levis monté, herse abaissée, la forteresse était impénétrable. Il me restait le siège. Je me suis retourné en marmonnant, pour lui présenter mon derrière. Prostré dans un désir réprimé, j'ai glissé vers un sommeil sans rêves.

*

Le lendemain matin, Marieke était inhabituellement agitée et marchait dans la maison en faisant claquer ses talons. Le message en morse disait : « Lève-toi, grosse larve. » Quelle idée de vider la moitié d'une bouteille de vodka un lundi soir.

Marieke a surgi dans la chambre. Clac ! Clac ! Clac ! Chaque pas résonnait dans ma tête comme un coup de masse dans une cloison. Elle a pris sa tablette sur la table de nuit. Son tailleur gris était superbement cintré. Ses jambes athlétiques dépassaient juste assez de la jupe. Un sablier juché sur deux aiguilles à tricoter. Classe et sexy.

— Fred, t'es en retard. Moi, faut que j'y aille. Quentin m'attend en bas. Appelle la garderie avant de partir pour savoir s'ils ont de la place aujourd'hui. On se voit ce soir.

— OK. Bonne journée.

Elle m'a embrassé en grimaçant avant de dévaler les escaliers quatre à quatre. La porte a claqué, et Nestor s'est mis à brailler dans la cuisine. Je me suis levé péniblement. Le miroir me renvoyait une tête atroce. J'étais en retard, je n'aurais pas le temps de me raser ni de me doucher. Mais qui s'en souciait : j'étais aux Archives.

Sanglé dans son siège, Nestor s'était calmé. À cette heure, le trafic était épouvantable. Mais où s'en allaient tous ces imbéciles ? À la radio, les animateurs se réjouissaient des mises à pied massives dans la fonction publique. C'était du jamais vu. Une coupe à blanc dans l'expertise de l'État. Les animateurs salivaient et congratulaient le directeur du Bureau de la restructuration pour son courage et sa lucidité. Dans leur micro, on entendait la bave dégoutter de leur mâchoire de hyène. « Enfin du ménage ! Ça va faire de payer des fonctionnaires à rien faire ! » S'ils savaient. L'envie me démangeait de les appeler pour tout leur dire.

Je me demande ce qu'ils penseraient du Club Med. C'est sûr que j'entrerais en ondes immédiatement. Peut-être même qu'on repousserait les pubs pour étirer l'entretien. J'aurais aussi des entrevues dans les journaux et peut-être même à la télé. Ils voudraient tout savoir. Je leur dirais tout. Et même plus. Clément qui zozote. Patrice qui joue sur sa tablette. Il n'y avait que Monique qui sauvait les meubles. Et encore, je n'avais aucune idée de l'utilité de son travail. En fait, le Service des archives au complet était un trou noir de gaspillage gouvernemental. Tous – et je m'incluais dans le lot – des planqués inutiles, profusément payés avec de l'argent public, alors qu'on coupait dans les écoles et que les hôpitaux tombaient en ruine. C'était scandaleux. Il fallait que quelqu'un le dise. Je serais le détecteur de fumée dans l'incendie, la gorge profonde d'où rugirait la vérité.

Évidemment, je sombrerais avec mes collègues. Ma délation serait une mission-suicide. On ne pourrait pas me virer, mais je négocierais mes conditions de départ. Et qui sait. Fort de mon nouveau statut de champion du peuple, j'obtiendrais peut-être un micro, une chronique ou même – reconnaissance suprême – un blogue où partager mes précieuses réflexions. Et puis je pourrais toujours devenir consultant. Comme le dit l'adage, un consultant c'est quelqu'un qui emprunte votre montre pour vous donner l'heure. Tous les fonctionnaires retraités le font. Bardés de contacts, blindés par leur pension, ils reviennent au ministère travailler quand ils veulent pour deux fois le salaire. C'est ce que j'allais faire. Mais, auparavant, il fallait des preuves. Je devais documenter la fainéantise.

J'avais une bonne demi-heure de retard. Plus tôt, j'aurais pu me garer en bordure, à l'ombre. Mais, à cette heure, il ne restait que les places les plus éloignées, au centre du stationnement. Qu'à cela ne tienne, j'étais en mission. Je n'avais jamais marché si vite pour me rendre au travail, à tel point que j'ai dû ralentir, de peur d'éveiller les soupçons.

Avant de me pointer à mon bureau, je suis passé par les toilettes. J'ai activé la caméra de mon téléphone et placé l'appareil dans la poche intérieure de mon veston. Mon enquête pouvait commencer. À mon arrivée, Clément parlait au téléphone, Monique usait son clavier, et Patrice m'a lancé, goguenard :

— Ouain, en retard à matin.

— Maudit trafic. Pis toi? Ben occupé?

Je me suis approché en tenant mon téléphone négligemment près de lui. Il m'a montré l'écran de sa tablette. Aujourd'hui, c'était un jeu de stratégie où il fallait planter des végétaux aux diverses propriétés sur un damier, afin de combattre une invasion de zombies.

— Ça fait deux jours que je suis bloqué au niveau seize. J'ai pas assez de soleils et y a pas de tondeuses dans ce tableau-là.

Il n'était même pas ironique. J'imaginais cet extrait tourner en boucle à la radio.

— Lâche pas la patate, mon Pat.

Mon téléphone enregistrait toujours. J'ai contourné Monique pour voir son écran.

— Pis toi, Monique, sur quoi tu travailles ?

Son écran était quadrillé par un tableau dans lequel elle entrait des numéros à toute vitesse. Elle m'a répondu sans arrêter de taper.

— Je classe des documents.

Elle remplissait des cases à l'infini, en inscrivant des chiffres au hasard et sans aucune logique. C'était terrifiant. Comme la scène de *Shining* où la femme de Jack découvre qu'au lieu d'écrire un roman, il remplit depuis des jours des centaines de feuilles avec la phrase *All work and no play makes Jack a dull boy*. Tellement dément que je n'ai même pas osé la contredire. M'assurant que Patrice et Clément ne me voyaient pas, je l'ai filmée. Le cliquetis de son clavier me glaçait le sang.

J'ai tourné mon appareil vers Clément. Il zozotait avec Dieu sait qui au téléphone.

— C'est pour ta haie ? (…) Essaye le saule. C'est le seul qui résiste au sel. C'est sensationnel.

Est-ce que le directeur était au courant de l'inertie de ses employés ? Il fallait le confronter. Absorbé par ses zombies, Patrice a laissé tomber :

— On se voit à la pause.

En passant devant la bibliothèque, j'ai filmé Ariane qui lisait. Blanchi par sa lampe de luminothérapie, son visage immobile avait un teint spectral inquiétant.

Exceptionnellement, elle avait un client. Assis à une table, un jeune dans la vingtaine aux longs cheveux noirs consultait des documents avec une grande concentration. Son visage anguleux était surmonté d'immenses sourcils. Les plus gros que j'aie jamais vus. Deux sangsues posées au-dessus de ses yeux.

Au Service des archives, la secrétaire découpait des coupons d'épicerie. Je continuais de tout capter. En entrant dans le cubicule du directeur, j'ai eu un choc. Il jardinait! Les deux mains dans la terre, il emplissait des boîtes à fleurs posées sur une table. Sur son bureau, le livre *Comment réussir vos semis* était couvert de terre.

— Ah, salut Fred. Assis-toi. Je prépare mes semences pour l'été.

Devant mon air ahuri, il a poursuivi :

— Ouain, je sais, je suis un peu tard cette année. Mais il fait tellement beau, ça va pousser pareil.

J'étais comme Alice devant le Chapelier fou. Ses manches de chemise étaient roulées. Il avait de la terre jusqu'au coude. Il m'a regardé.

— Assis-toi, assis-toi. Qu'est-ce que je peux faire pour toi?

Complètement déstabilisé, je continuais néanmoins de filmer. Sans preuves, on ne me croirait jamais.

— Quand je vais avoir mon code, ça va être quoi, ma job?

Plongée dans un sac de terre, sa main droite remuait doucement. Il a soupiré.

— Clément t'a pas expliqué? La mission du Service des archives, c'est de collecter, trier, classer, restaurer, conserver et diffuser des documents. Les gens ici s'occupent surtout de la collecte et du tri. Ariane est responsable de la conservation et de la diffusion. Vous autres, à la voûte, vous faites le classement. C'est-tu plus clair?

— Oui, mais on classe quoi?

— Tous les documents à côté de vos bureaux doivent être classés dans les rayonnages.

— Selon quels critères ?

— Ah ça, faut que tu voies ça avec Monique.

Je revoyais Jack Nicholson tapant à la machine dans un immense hall d'hôtel désert.

— Mais est-ce que vous vérifiez si le travail est fait ? Je veux dire, avez-vous des mesures d'évaluation du rendement ?

— Où tu veux en venir, au juste ?

— Ben, on va se dire les vraies affaires : ça travaille pas fort fort aux Archives.

Il s'est raidi, et son visage s'est durci. À l'intérieur du sac, sa main s'est crispée.

— Y a personne qui va remettre en question la compétence de mes employés.

J'ai étouffé un rire.

— Tes employés crissent rien, pis toi, tu plantes des fleurs. Allô !

Avec une rapidité inouïe, Coutil a bondi vers moi. Sous sa graisse, il était baraqué. En sortant du sac, sa main a projeté de la terre partout. Il s'est planté devant moi en me pointant un index menaçant devant le torse. Son ongle était noir de terre. Il avait l'air d'un pilleur de tombe surpris en flagrant délit. Sa voix sifflait de colère.

— Écoute-moi ben, mon ostie de prétentieux. J'en ai connu un petit rebelle dans ton genre. Je l'ai déménagé dans la chambre à fournaise. Y a pas *toffé* deux semaines.

Des images atroces m'apparaissaient. Enfermé dans une cave sombre, un jeune homme hystérique renversait un bureau et frappait sur des tuyaux en hurlant. Je n'avais plus le goût de rire du tout. Coutil a continué en me perçant le sternum avec des coups d'index.

— On va mettre les choses au clair une fois pour toutes. Ou ben tu prends ton trou, ou ben je vais m'organiser pour te pourrir la vie comme t'as pas idée. C'est-tu clair, Frédérick ?

J'ai dégluti péniblement.

— Oui, monsieur Coutil.

J'ai retraité dans les toilettes. Dans le miroir, des cheveux hirsutes, un regard instable ; la tête inquiète d'Antonin Artaud. J'avais de la terre sur ma cravate. Des fous. Je passais mes journées avec des crisse de fous, enfoui dans un asile souterrain. Comme si le fait d'enregistrer la réalité m'avait fait prendre conscience de l'ampleur du délire. Soudainement, j'avais peur. En sortant des toilettes, j'ai pratiquement embouti Patrice. Que faisait-il là ? Se doutait-il que j'enregistrais ? Je devenais parano.

— Ah, t'es là. Viens-t'en, je te paye un café.

Durant la pause, ça placotait comme d'habitude. Affable, le directeur Coutil m'a abordé comme si rien ne s'était passé.

— Pour ton code, j'ai parlé à l'Informatique. Ils sont dans le jus, mais je leur ai fait comprendre que t'étais prioritaire.

Il m'a fait un clin d'œil. Patrice m'entretenait à propos du nouvel aréna qui serait construit à temps et sans dépassement de coûts. Sa voix faisait du bruit, mais je n'écoutais pas. J'étais dans la maison des fous. La folie, ce n'est pas de hurler durant un incendie, mais d'agir normalement alors que la maison brûle. Je suis sorti rapidement du local, en me plaquant les deux mains sur la bouche.

Assis à mon bureau, je voyais mes collègues d'un autre œil. Peut-être avaient-ils été menacés eux aussi d'un exil dans le goulag de la chambre à fournaise. Au fond, nous étions des prisonniers politiques.

Jamais journée n'avait paru si longue. À la sortie du ministère, dardé par les rayons du soleil, je plissais des yeux comme un vampire. Maussade, je dérivais dans le souvenir d'une mer de vodka. Même l'idée de m'amuser avec Nestor me laissait de glace. Nestor !

Dans le stationnement, j'ai décollé vers mon auto comme un sprinter, en pointant mon porte-clefs pour déverrouiller les portes. Parvenu à l'auto, j'ai tenté de distinguer à l'intérieur, mais la vitre teintée me renvoyait mon reflet paniqué. Le cœur au bord de l'explosion, j'ai ouvert la porte. Un souffle de chaleur volcanique m'a balayé le visage.

Mon fils est là, sanglé dans son siège. Sa peau est complètement rouge. Il a des cloques sur les bras. Ses yeux sont mi-clos. Ses lèvres ont une teinte bleutée. Je ne reconnais plus son visage ; on dirait une poupée. Mille chauves-souris affolées tourbillonnent dans ma tête.

En voulant le détacher de son siège, je me brûle les mains sur la boucle en métal. Dans mes bras, Nestor est chaud comme un jambon sortant du four. Sa peau a la texture craquante d'une pâte feuilletée. Il ne bouge plus. Il est cuit. Littéralement.

À ce moment, une surcharge émotionnelle fait disjoncter mon cerveau, atténuant d'un coup toutes mes sensations. Je perçois le monde de très loin, à travers une bulle de plastique tamisant les sons et filtrant la lumière. Je suis engourdi, incapable de réagir au réel.

Je m'effondre à genoux dans le stationnement, avec mon fils dans les bras. Je crie, mais je n'entends pas ma voix. Quelqu'un s'approche et me parle. Je ne réponds pas. Il sort son téléphone. Assis sur l'asphalte brûlant, je garde Nestor à l'abri du soleil, dans l'ombre de l'auto. Je le berce en chuchotant :

— Ça va bien aller, monsieur Beauchéri. Papa va t'acheter un bon popsicle à l'orange pour te rafraîchir.

Des gens s'agglutinent. Dans le brouhaha de la discussion, je perçois les mots : « bébé » et « oublié ». Des clignotants rouges et bleus apparaissent. Une policière arrive et s'accroupit. Elle est très jeune. Elle prend le pouls de Nestor et soulève une paupière. La pupille est fixe et dilatée comme celle d'un hibou empaillé. La policière me demande mon nom. Je ne réponds pas. Elle me demande mon portefeuille. Je lui tends machinalement.

Crissements de pneus. D'autres lumières clignotantes. Un type en habit gris se jette à genoux devant nous. Il dit des mots, mais je ne comprends rien. Je lui tends Nestor comme un vase précieux. L'ambulancier examine mon fils. Rapidement, il le sangle sur une civière recouverte d'un drap très blanc. Elle est trop grande. Deux courroies sont inutilisées. Sans effort, les ambulanciers font coulisser le brancard dans l'ambulance. L'un d'eux monte à sa suite.

Une petite foule s'est massée autour de ma voiture. Un policier fait reculer les badauds. La jeune policière me demande si je veux accompagner mon fils dans l'ambulance. Je hoche la tête de haut en bas. Elle m'aide à me relever et me fait monter à l'avant.

En m'assoyant côté passager, j'aperçois un ambulancier penché sur la civière, qui souffle dans un masque transparent posé sur le visage de Nestor. Dans le véhicule, il fait tellement froid que je frissonne.

Le chauffeur s'assoit et fait claquer sa portière. Il parle dans un microphone accroché à son épaule en penchant la tête. J'entends les mots « déshydratation » et « pas de signes vitaux ». Une énorme araignée poilue est posée sur son avant-bras. Est-ce une mygale ou une tarentule ? L'araignée est complètement immobile. Je comprends que c'est un tatouage tridimensionnel très détaillé, avec des ombrages et des dégradés.

L'ambulance démarre en trombe. La sirène est assourdissante. Durant le trajet, le chauffeur prévient son collègue des mouvements du véhicule.

— On tourne… On freine.

À l'urgence, les ambulanciers débarquent la civière avec précipitation. La salle d'attente est occupée comme un camp de réfugiés. Dans le corridor, allongé sur une civière, tourné vers le mur, un vieillard gémit. Sa chemise d'hôpital est ouverte sur son dos décharné. Sous sa peau, la colonne vertébrale saille comme une chaîne de montagnes. Une âcre odeur d'urine et de désinfectant me fait plisser le nez.

Un jeune médecin avec de l'acné arrive en courant. Il pose son stéthoscope sur la poitrine de Nestor et soulève une de ses paupières. Le docteur parle, et la civière se remet en mouvement.

Une infirmière m'aborde. Elle porte un hidjab blanc, très serré, comme une cagoule de patineuse de vitesse.

— Avez-vous quelqu'un à prévenir?

— Ma femme.

Je sors mon téléphone pour appeler Marieke. Les néons rendent tout irréel. L'habit de l'infirmière est trop vert. Son hidjab est trop blanc. Ses lèvres sont trop rouges. Quand Marieke répond, je me mets à trembler.

— Je suis à l'hôpital. Il est arrivé quelque chose à Nestor. (…) Je l'ai oublié dans l'auto; il est déshydraté. (…) À matin. (…) Je sais pas. (…) Je sais pas, Miki…

Autour de moi, des gens vont et viennent. Dans un haut-parleur, une voix féminine demande au docteur Singh de contacter l'unité bariatrique. Je suis confus comme un boxeur dont l'entraîneur lance la serviette.

— Est-ce qu'il est mort?

Je ne reconnais pas le son de ma voix. L'infirmière a de grands yeux paisibles. Elle est calme.

— Voulez-vous venir le voir?

Je fais oui de la tête. Elle m'escorte dans une salle de réanimation. Les semelles de ses espadrilles couinent sur le plancher. À chaque pas, j'entends un chaton se faire étrangler.

Au centre de la salle, le médecin s'active au-dessus de la civière. Avec ses jointures, il presse le sternum de Nestor. En m'apercevant, le docteur cesse les manœuvres et se tourne vers moi. Son visage est à la fois neutre et empathique. Il serre les lèvres et fait lentement non de la tête.

— On a tout tenté, mais votre fils est mort d'un coup de chaleur. Je suis désolé, monsieur Limoges.

Il me pose une main compatissante sur l'épaule. Mon regard est fixé sur un moniteur où défile une ligne plate. Je vacille. L'infirmière m'aide à m'asseoir. Je sens son parfum délicatement épicé. Des images éclatent en flash dans ma tête.

J'ai oublié d'aller reconduire mon fils à la garderie, et il est resté dans l'auto. C'est impensable, mais vrai. J'étais absorbé, et il devait s'être endormi. Il a passé plus de sept heures dans une voiture en plein soleil, cuisant comme un gâteau.

Je l'imagine s'éveillant, seul, pleurant d'abord pour attirer l'attention. Mais mon auto est insonorisée, et les vitres sont teintées. Autant dire qu'il était enfermé dans un coffre-fort. Si quelqu'un était passé à côté, il aurait pu agir. Mais tout le monde était au travail, et la voiture était perdue au milieu d'un stationnement.

Constatant que personne ne venait à lui, Nestor a dû pleurer plus fort. Des pleurs puissants, qui ont dû lui faire perdre beaucoup d'eau. La température a dû rapidement devenir insupportable. Comme sur un bûcher.

Marieke surgit dans la salle en trombe. Elle est magnifique dans son tailleur anthracite.

— Nestor !

Elle voit la civière et fige. Solennel, le médecin s'avance et répète les mots qui tuent.

— Nestor est mort d'un coup de chaleur, madame. Je suis désolé.

Je me lève pour aller vers elle. Marieke se précipite sur la civière en hurlant :

— Mon bébé !

Penchée au-dessus de la civière, Marieke éclate en sanglots perçants.

— Mon bébé !

Des larmes embuent mes yeux. Je veux la prendre dans mes bras pour fusionner notre douleur. Elle me repousse doucement d'une main et s'effondre sur la civière en braillant à fendre l'âme.

Frédérick, quarante-sept ans, Nestor, huit ans, et Zoé, quatre ans, sont dans le bain. Boudeuse, Zoé tente d'arracher une figurine de Spiderman à son frère.

— *C'est à moi. C'est mon Baderman. T'es pas fin, Nestor. Je t'aime pus.*

Fred tente d'apaiser ses enfants.

— *Zoé, tu devrais pas dire ça. C'est à cause de Nestor que tu existes.*

La petite regarde son père.

— *Comment ça ?*

Nestor intervient.

— *Quand j'avais trois ans, j'ai allumé un lampion pour avoir un petit frère ou une petite sœur. Tiens, ton Baderman.*

— *Merci, Nestor. Je t'aime beaucoup.*

On peut survivre à un deuil. C'est le travail d'une vie. On n'oublie jamais, bien sûr, mais on peut continuer d'avancer. Il y a des précédents. Je ne sais pas si on peut survivre au remords du meurtre involontaire de son enfant. Le remords est en fait une (re)mort. Une punition prométhéenne par laquelle, à chaque souvenir de la faute, l'aigle de la culpabilité dévore le foie du malheureux.

Une chose est sûre, je ne me remettrai jamais de la main de Marieke me repoussant doucement à côté de la civière de Nestor. Plus que tout, ce rejet m'a tué. En me désignant comme l'assassin de notre enfant, ma femme m'a refusé le droit de souffrir de sa perte. Elle a rompu une alliance que j'avais cru inébranlable. Nous qui avions traversé les pires tempêtes pour concevoir notre fils; nous qui avions évité les hauts-fonds du quotidien et qui avions jeté l'ancre dans des lagunes paradisiaques…

C'est dorénavant chacun pour soi dans le naufrage de nos vies. Chacun pour soi à culbuter dans les tourbillons du malheur. Chacun pour soi à regarder s'éloigner les débris de notre couple fracassé sur les rochers de la souffrance. Au cœur de l'ouragan, les courants nous éloignent l'un de l'autre. Entre deux vagues, peinant à garder la tête hors de l'eau, je vois mon amour dériver au loin en se débattant.

*

Premier signe de son intention de rompre les ponts avec moi, Marieke a fait venir ses parents. Ça n'a jamais vraiment connecté avec monsieur et madame Van Verden. Notre relation a toujours été polie mais distante. Sa mère est une petite boulotte dynamique. D'ordinaire rieuse et loquace, elle est maintenant glaciale avec moi, et son indifférence me fait bien comprendre qu'elle me considère comme le monstre qui lui a enlevé son petit-fils. Elle garde toute sa compassion pour Marieke, qu'elle couvre d'attentions chaleureuses et ostentatoires. Colosse ventru, son mari est toujours habillé en carreauté et fume la pipe. Taciturne et soumis à sa femme, je ne le trouve pas très différent de d'habitude.

Ils arrivent de Bruges le surlendemain du drame. Je les salue en arrivant et ce sont les seuls mots que nous échangerons. Avec Marieke, ils s'obstinent à parler néerlandais et font comme si je n'étais pas là. J'ai l'impression d'être un fantôme errant dans un tombeau glacé.

Les repas sont particulièrement pénibles. Je finis par aller manger au sous-sol devant la télé. J'écoute les reprises d'une émission où des garagistes de la côte Ouest transforment des bazous en joyaux chromés. Au volant de leur nouveau bolide, les propriétaires promettent à la caméra d'entreprendre un nouveau départ dans leur vie. Des flammes sur les portières, de nouveaux enjoliveurs, et hop, en route vers le bonheur. Si seulement c'était aussi simple.

Pendant que monsieur Van Verden fume sa pipe dans la cour en lisant des journaux belges sur sa tablette, sa femme est d'un grand secours pour les préparatifs des funérailles. Elle gave Marieke de calmants puissants, qui la rendent docile et décervelée.

Assises dans la cuisine, elles discutent dans cette langue étrange, qui rappelle l'allemand mais en plus chanté. Je fais la vaisselle en tendant l'oreille, mais tout m'échappe. Elles consultent des photos d'urnes et de cercueils sur Internet, en désignant différents modèles comme si c'étaient des meubles. Je suis totalement exclu du processus.

Pour Marieke et sa mère, la cause est entendue : puisque je suis responsable de la mort de Nestor, il est hors de question que je participe à l'organisation de ses funérailles. En ce qui me concerne, l'idée d'un cercueil de la taille d'une boîte à pain ne fera qu'ajouter le dérisoire au pathétique. L'urne est plus neutre. On ne peut pas deviner la taille du mort dans une urne. Mais je préfère lâcher prise. De toute façon, je n'ai pas tellement envie de m'en mêler.

Techniquement, j'ai droit à trois jours de congé pour l'enterrement d'un proche. Au téléphone, le directeur des ressources humaines se montre très courtois et m'autorise à prendre les jours de maladie que j'ai accumulés. En tout, ça me fait près de trois mois de congé. L'idée de retourner perdre mon temps aux Archives m'est absolument intolérable.

*

Gilles passe me voir avec un restant de bœuf bourguignon. Il me serre très fort dans ses bras puissants. Je me laisse faire comme une poupée. Il offre ses condoléances à Marieke. Nous restons assis dans le sofa sans rien dire. Il finit par repartir en me prenant dans ses bras.

— Je suis avec toi, le grand.

Mon ami a bien vu que je suis enfoncé dans l'abîme d'une mine sans fond. Il sait qu'il ne peut pas me sortir de là, mais il a posé des étais dans la galerie pour l'empêcher de s'effondrer.

*

Je passe l'essentiel de mes journées assis dans le salon, en écoutant une station de radio consacrée au sport. Il est question d'entraîneurs qui coupent leur banc, de joueurs est-ouest et d'équipes dures à jouer contre.

Je commence à boire quand Marieke et ses parents sont couchés. Assis seul dans la pénombre du salon, j'engourdis ma peine avec de la vodka. J'ai en moi un vide glacé que l'alcool réchauffe, mais autant essayer de remplir un seau percé.

La mort de Nestor est comme une dent arrachée à froid. La douleur est atroce. Un élancement continu, qui occupe toutes mes pensées. La gencive finira par cicatriser, mais le trou sera toujours là, cavité maudite dans laquelle se logera ma langue chaque fois que mes pensées divagueront. Mon sourire est à jamais gâché par le vide de la mort.

En montant me coucher, je ne replace même plus le cadre de Krieghoff. Il s'incline un peu plus chaque jour. Dans la chambre de Nestor, rien n'a changé. Le soir, la veilleuse de Caillou (activée par une cellule photoélectrique) s'illumine comme d'habitude. Sur la commode, une pile de vêtements pliés attend d'être rangée.

Quand j'arrive dans ma chambre, Marieke dort déjà, assommée par les somnifères. Elle porte un pyjama de flanelle une pièce qui m'interdit toute idée de rapprochement. La dernière fois qu'elle a enfilé ce scaphandrier, c'était il y a cinq ans, après une chicane à propos de l'organisation du mariage.

Pauvre Marieke. Elle a tellement voulu avoir un enfant. Et voilà qu'il est disparu par ma faute. Comment lui faire comprendre que j'aimais notre fils plus que moi-même ? Si c'était possible, je sacrifierais sans hésitation ma vie pour le ramener.

Pour l'heure, je voudrais bien consoler ma femme, mais elle me fuit. Son corps est chaud. Je me love contre elle en pleurant dans ses cheveux. À travers mes sanglots, je murmure :

— Je suis désolé. Je suis désolé. Je suis désolé...

Jusqu'à ce que l'ivresse m'emporte dans un sommeil inhabité.

*

Marieke et sa mère ont décidé d'éviter à tout le monde le supplice d'une exposition au salon. C'est sans doute une bonne chose. Le jour des funérailles de Nestor, il pleut pour la première fois depuis un mois. Si j'avais oublié mon fils dans l'auto aujourd'hui, il serait encore en vie.

L'église est relativement vide : la famille de Marieke habite en Europe, mon père est mort et je n'ai qu'une sœur. Il faut dire aussi qu'un bébé de treize mois n'a pas eu le temps de se faire beaucoup d'amis. Ma sœur Gabrielle est passée prendre notre mère à l'hospice. Rongée par l'alzheimer et déformée par l'arthrite, la pauvre femme est recroquevillée dans son fauteuil roulant avec l'air de se demander ce qu'elle fait là. Plusieurs collègues de Marieke sont présents. Gilles est là, droit comme un soldat, à l'étroit dans son costume noir. En retrait à l'arrière, je suis surpris de voir Tania, l'éducatrice de Nestor. Elle a couvert sa tête d'un magnifique voile noir translucide. Son mascara a coulé.

À la croisée de la nef et du transept trône le petit cercueil blanc de Nestor, minuscule iceberg à la dérive dans l'immensité de l'église. Un peu kétaine, le blanc, mais pour un bébé, la symbolique de la pureté s'imposait. Sur le couvercle, on a mis une photo que j'ai prise de Nestor. Elle date de son premier anniversaire. À quatre pattes sur la table, il approche sa main de la chandelle du gâteau, comme s'il voulait saisir une étoile. Coiffé d'un petit cône de guingois, son visage de bébé rayonne, fasciné par la lumière. Une seule bougie. La durée de sa vie. À peine allumée, déjà soufflée.

Marieke et sa mère ont bien travaillé. La cérémonie est triste et sobre, comme un songe vaporeux drapé de noir. À part le prêtre, personne ne prend la parole. C'est aussi bien. Qu'y aurait-il à dire sur cette sinistre farce du destin? Qui aurait pu parler? Certainement pas moi, je suis considéré comme un assassin. Marieke est complètement gelée au Xanax. La grand-mère flamande n'a vu son petit-fils que deux fois et ma mère a la présence d'esprit d'un bégonia. En fait, celle qui pourrait le mieux parler de Nestor, c'est son éducatrice Tania.

L'abbé Théberge semble très à l'aise au micro. Son aube est parfaitement repassée, comme une toge royale. Son étole rouge vin est brodée d'or. Il roucoule de sa voix monocorde:

— Ce qui fait la valeur d'une vie, ce n'est pas sa longueur. Certaines vies qui nous semblent écourtées sont les plus riches au regard de Dieu.

Les paroles creuses de la Bible (à qui l'on peut faire dire tout et son contraire) sont peut-être utiles pour consoler les crédules, mais dans mon cas, elles accentuent mon désespoir. Que j'en sois responsable ou non, cette mort est injuste et il n'y a pas moyen de le voir autrement. Il faut n'accorder aucune importance à la vie pour considérer qu'un passage de treize mois sur terre puisse être riche. Mais qu'importent les inepties catholiques, je suis trop malheureux pour être en colère.

Après l'homélie, des photos de Nestor défilent sur un écran au son de *Tears in Heaven*. Considérant qu'Eric Clapton a composé cette chanson à la suite de la mort de son enfant tombé d'un gratte-ciel, c'est un choix judicieux. Les curés ont beau les excommunier pour paganisme et débauche, rien ne vaut un vieux rockeur pour toucher l'âme humaine.

Le diaporama fait son effet. Derrière moi, j'entends renifler et pleurer. Sur l'écran, une photo montre Nestor juché sur mes épaules, qui me tire les cheveux en riant. Assise à ma gauche, Marieke s'écroule. Sa mère lui prend une main. Je l'enlace. Elle s'appuie sur mon épaule. Pour la première fois, elle accepte de partager sa peine avec moi.

Pour accompagner Nestor à son dernier repos, Marieke a choisi la *Sonate au clair de lune*. Notre fils a particulièrement aimé cette triste mélodie en mineur, surtout pour s'endormir. Il l'a souvent fait jouer en activant un bouton sur le mobile de sa couchette.

Les deux porteurs s'avancent avec gravité. Marieke a désigné son père et Gilles. Ils soulèvent le cercueil un peu trop facilement. Un seul aurait suffi mais il faut un minimum de décorum, même devant l'absurdité de cette mort. Les deux portent la petite boîte sur leur épaule, comme un radiocassette des années quatre-vingt. À la tête de la procession, je soutiens Marieke qui titube, ivre de douleur. Tout le monde pleure. Tout est au ralenti, comme dans un mauvais rêve.

À la sortie de l'église, des employés du salon funéraire distribuent des parapluies noirs, qui s'ouvrent comme des corbeaux prenant leur envol. Sur le parvis, les gens se pressent sous la pluie. Au loin, je remarque un photographe. Il a sans doute été engagé par Marieke. Tania s'avance vers nous, ruisselante, son foulard plaqué sur la tête. Elle se jette dans mes bras, la voix hachurée par les sanglots.

— Il va tellement me manquer.

Elle pleure comme si c'était son enfant. C'est en partie vrai. Il a fait ses premiers pas avec elle. Elle a admiré sa patience et sa minutie quand il empilait les blocs avec sa petite langue sortie. Elle sait qu'il n'aimait pas la purée de banane et qu'il adorait le rap. Elle ne l'aurait jamais oublié dans une auto, elle.

Au cimetière, la pluie a redoublé. Le père Théberge précipite son laïus, mais je n'entends rien à cause du crépitement des gouttes sur les parapluies. Après la descente du cercueil, chaque invité jette une rose dans la fosse. J'ai apporté le dragon Tison dans un sac. Je laisse tomber le toutou dans le trou. Il se pose sur le cercueil en s'enroulant parmi les fleurs. Son regard sévère m'assure qu'il veillera sur Nestor jusque dans l'autre monde. C'est à la fois ridicule et solennel.

C'est à ce moment que Marieke craque. Sans avertissement, elle se jette à genoux sur le tapis de faux gazon trop vert qui borde la fosse.

— Mon bébé !

Hystérique, elle tend les bras vers le trou en hurlant d'une voix déchirée.

— Mon bébé !

Elle serait tombée si son père et moi ne l'avions tirée vers l'arrière. La pauvre se débat dans mes bras. Sa robe noire est imbibée. Ses cheveux ruisselants sont collés sur son crâne. Son maquillage a coulé. La douleur lui vole toute sa dignité. Elle a l'air d'un cormoran dément. Nestor aurait été terrifié de voir sa mère en sorcière hystérique. Mal à l'aise, tout le monde se dirige vers les autos en tentant d'éviter les flaques.

La réception a lieu dans un local communautaire. Le genre d'endroit parfait pour les réunions d'alcooliques anonymes et les cours prénataux. Les murs sont placardés d'affiches dénonçant la violence conjugale ou faisant la promotion de l'allaitement maternel. Aucune ne prévient les pères endeuillés de modérer l'alcool lors des funérailles de leur enfant.

Je me dirige vers le bar. Sous l'œil inquiet du jeune serveur, je commande une bière que je siffle d'un seul trait. Jamais l'alcool ne m'est apparu si nécessaire. Assise dans un coin, Marieke a été prise en charge par sa mère. Elle a dû avaler une Xanax, car elle est calme et a l'air absent.

Je commande une bière avant d'aller m'asseoir à côté d'elle pour recevoir les condoléances. Les gens défilent devant nous comme des courtisans devant un couple royal. Avec moi, c'est bref et formel ; la poignée de main est furtive et les lèvres effleurent mes joues. Même des collègues de Marieke avec qui j'ai souvent soupé restent distants. Rien à voir avec ce que ma femme reçoit comme attentions. On s'épanche, on lui souhaite du courage, bref une réelle empathie. En tant que tueur, je n'aurai droit à aucune compassion.

Écœuré par ce double standard, je vais caler une autre bière au bar. Gabrielle me rejoint en poussant notre mère dans son fauteuil roulant. Je n'ai pas vu ma sœur depuis les funérailles de notre père. Elle a vieilli. On vieillit tous. Ses cheveux ont pâli et son visage s'est creusé. Elle me ressemble beaucoup. Je n'ai pas spécialement envie de la voir.

Quant à ma mère, à soixante-quinze ans, repliée sur elle-même, elle attend la mort, zombifiée par l'alzheimer. Elle a mis sa belle robe mauve. Ma sœur a dû passer un coup de peigne dans ses fins cheveux. Son maquillage est exagéré, comme un dessin d'enfant, mais l'intention est là. Je me penche vers elle. À travers ses yeux vides, je sens son effort pour se rappeler qui je suis.

— Salut, maman. Merci d'être venue.

Dans sa pupille, une infime lueur me confirme qu'elle m'a replacé. De ses griffes crochies par l'arthrite, elle m'agrippe le bras avec une vigueur surprenante.

— Il est où, Nestor ?

C'est tellement pathétique que je simule une quinte de toux pour étouffer un rire.

— Nestor est enterré, maman. On est à ses funérailles.

— Je comprends pas. Parle plus fort.

Elle n'entend plus rien, mais s'obstine à ne pas porter d'appareil. Ça devait arriver, aussi sûrement que le *fatum* dans une tragédie. Je craque moi aussi. À genoux devant ma vieille mère, je lui hurle au visage d'un ton méchant.

— Nestor est mort ! Je l'ai oublié dans le char, pis y est mort ! On est à ses funérailles, ostie !

Tout le monde se tourne vers nous. Gabrielle me prend par le bras en me remontant à côté d'elle. Elle chuchote entre ses dents.

— Calme-toi, Fred. C'est pas de sa faute.

Les fils se touchent, et je prends le public à partie.

— Ben non, c'est pas de sa faute ! C'est de ma faute ! OK, tout le monde, c'est de ma faute si Nestor est mort ! Vous êtes contents, là ? C'est de ma faute ! C'est de ma faute !

Gilles m'escorte à l'extérieur de la salle. Je m'écroule dans ses bras. Son large torse est réconfortant. Je pleure toutes les larmes de mon être. Ma douleur, ma honte, mon malheur me brûlent et je recrache tout en même temps. Des râles de dragon agonisant m'arrachent la gorge. J'ai mal. Je n'ai jamais eu aussi mal de ma vie.

*

Mon esclandre aux obsèques a modifié la dynamique dans la maison. Auparavant totalement indifférents à mon endroit, mes beaux-parents ont maintenant peur de moi. Je considère ce nouvel état comme une amélioration de nos relations. Avec une joie puérile, je m'amuse à les surprendre dans la cuisine ou dans la cour, surgissant brusquement avec un sourire étrange et inquiétant. La crainte leur a fait retrouver leur français. Ils sursautent chaque fois en échappant un petit rire nerveux.

— Ah, c'est vous, Frédérick.

Je m'en retourne sans un mot, cultivant l'illusion du meurtrier susceptible de péter un câble à tout instant. Ils rentrent finalement à Bruges, prétextant que leur chien s'ennuie chez sa gardienne. Bon vent.

Quant à Marieke, elle se nourrit de puissants somnifères que lui a laissés sa mère. Assise dans la cour, elle contemple les feuilles des arbres agitées par le vent avec un regard pensif. Elle semble être complètement débranchée du monde. Je l'ai même surprise à pousser distraitement la balançoire vide, comme si Nestor s'y trouvait.

Pour ma part, je bois. C'est la seule façon d'engourdir la douleur. J'ai fait le plein de cette excellente vodka à l'eau d'esker. Mon butin s'élève à seize bouteilles. Huit cents dollars d'alcool. Assez pour me noyer si je versais tout dans le bain.

À la Société des alcools, je sens le poids des regards insistants. Il me semble entendre des chuchotements dans mon sillage. C'est vrai que seize bouteilles, c'est beaucoup.

Ça ne s'arrange pas à l'épicerie. Une roue de mon panier grince, faisant tourner les têtes en ma direction. Je sens glisser sur moi des murmures. Toujours cette désagréable impression d'être le centre d'une attention malsaine. Je deviens parano. Je remplis mon panier de repas surgelés, avant de me diriger rapidement vers la sortie.

En attendant mon tour à la caisse, je fixe le kiosque à journaux. Je ne me reconnais pas tout de suite, c'est trop irréel. Je suis en une du journal ! La photo en gros plan a été prise au téléobjectif devant l'église. Cheveux laqués par la pluie, traits durs, l'air sombre et méchant. Un authentique cliché de bandit endurci. Le titre ne me laisse aucune chance : « Un père distrait cause la mort de son bébé. »

Je ferme les yeux dans l'espoir de me réveiller.

— Monsieur ? C'est à vous.

La caissière me sourit. Vraisemblablement, elle n'a pas vu le journal. Je dépose l'exemplaire à l'envers sur le tapis roulant. En inclinant la tête pour ne pas me faire reconnaître, je vide mon panier à toute vitesse. Je sors presque en courant. Dans l'auto, je verrouille les portes avant de prendre le journal en tremblant. L'article est dévastateur.

À travers un compte rendu assez juste du déroulement des funérailles, on me décrit comme « un homme éteint, que la perte de son fils n'avait pas l'air d'émouvoir ». Il y a donc un code émotif à respecter ? Il aurait fallu que j'aie l'air allumé ? Visiblement, le journaliste n'a pas assisté à ma crise après l'enterrement.

Un camion de télé est stationné devant chez moi. Dans le cadre de porte, Marieke est encore en pyjama et discute avec un journaliste dont le micro est recouvert d'un énorme pompon en mousse rose fluo. Elle enroule négligemment une boucle de cheveux autour de son doigt. Avec son pyjama une pièce, elle a l'air d'une enfant géante. Un caméraman filme.

Un voile de colère s'abaisse devant mes yeux. Je cours comme un secondeur intérieur pour plaquer le caméraman par-derrière. Il crie de surprise et sa caméra tombe lourdement par terre. Le temps que le journaliste se retourne, je lance son micro dans la rue en rentrant avec Marieke comme si on nous tirait dessus. Je suis furieux. Marieke est déroutée. Je la prends dans mes bras.

— Faut pas nourrir les vautours.

Sous l'œil inquiet de ma femme, je fais le tour de la maison, pour verrouiller toutes les portes et fermer tous les rideaux. Les premiers piranhas ont senti le sang. La horde ne va pas tarder à rappliquer.

*

Marieke et moi sommes des plongeurs dans une cage entourée de requins affamés. Dans la rue, une batterie de caméras tient notre maison en joue. J'ai débranché le téléphone.

La télé rejoue sans arrêt l'extrait de l'entrevue avec Marieke en pyjama dans le cadre de porte. Répondant à une question perfide du journaliste, elle admet que je suis distrait de nature et que j'oublie souvent d'acheter du lait. Soudainement, l'image tremble avant de virer au noir. Le journaliste réapparaît en duplex avec le chef d'antenne, en racontant comment j'ai agressé son caméraman. Il prétend aussi que j'ai récemment été démis de mon poste d'analyste au ministère dans des circonstances obscures.

Sur Internet, le débat fait rage. Les habitants du village global commèrent devant l'église. Nourris par la rumeur, leur bavardage vénéneux rappelle les jours les plus sombres du Moyen-Âge, alors que les bûchers s'allumaient sur la foi de simples soupçons.

Tout le monde et son frère ont un avis. Pour la majorité, je suis un imbécile. C'est l'hypothèse la plus simple et probablement la plus vraie. Pour certains, je suis un tueur d'enfant sanguinaire et sans cœur. Quelques-uns m'attribuent même la disparition irrésolue d'une fillette.

Dans ce torrent de ragots, quelques bonnes âmes résistent au courant. Les courageux qui prennent ma défense sont pris à partie et vilipendés avec une fureur affolante. Quelqu'un essaye de calmer le jeu en rappelant qu'on ne sait rien des circonstances du drame (?). Un troupeau de hyènes l'accuse de complaisance envers les pédophiles (!). Un autre partage sa frousse d'avoir déjà oublié quelques minutes son enfant dans l'auto (?). À l'affût dans sa crevasse, une murène menace d'appeler la DPJ. Terrés dans les tranchées de l'anonymat, les *snipers* de l'opinion publique canardent lâchement.

On échafaude des hypothèses loufoques sur la base de détails insignifiants qui n'ont aucun lien entre eux. On déforme. On invente. On calomnie. On délire. Immonde et honteux *on*. Pronom indéfini de la multitude malicieuse et intangible, contre lequel il n'existe aucune défense. Autant se battre à l'épée contre une tornade.

J'assiste en direct à la reconfiguration de ma personnalité en croque-mitaine instable et violent. Une piñata gorgée de sang, sur laquelle il est désormais légitime de se défouler jusqu'à l'éviscération complète. Un paratonnerre que toutes les colères populaires peuvent foudroyer. Un égout collecteur des déjections de l'inconscient collectif.

Retranché dans le noir du sous-sol, je m'alimente de vodka et d'infects repas congelés. Je n'ai presque plus conscience de mon corps. Je suis un spectre dématérialisé, errant sur les sites où l'on discute de moi. Avec un plaisir morbide, je me délecte de ma célébrité maudite. Il y a quelque chose de grisant à se savoir l'objet d'autant d'attention.

Chaque insulte me rentre dans la chair comme le crin d'un cilice. D'un point de vue judéo-chrétien, c'est une expiation. En enlevant la vie, j'ai enfreint un des dix commandements : il me faut faire pénitence dans la souffrance. Sous une optique mythologique, je m'inflige une punition œdipienne. Au lieu de me crever les yeux, je me calcine la rétine en contemplant le mal qu'on dit de moi. Dans une perspective psychologique béhavioriste, mon comportement peut être associé au masochisme. Sous l'angle psychanalytique, on peut y voir un transfert. Pendant que je m'expose à la violence d'inconnus, je ne souffre pas du deuil de Nestor.

Dans la section «commentaires» des blogues et des forums, je me suis créé plusieurs identités pour multiplier les points de vue dans les discussions. Ultime schizophrénie virtuelle, certains de mes avatars s'invectivent entre eux. En attisant la haine contre moi, je me jette moi-même en pâture aux lions du Colisée. Rome brûle. Et, devant mon écran, je joue de la lyre.

*

Un jour, Marieke descend dans ma grotte. Elle a un choc. Je dois être là depuis une semaine (j'ai perdu le compte). La cave est plongée dans une obscurité permanente et pue la vieille bouffe et l'alcool. Elle ouvre les lumières. Je cligne des yeux, agressé par la clarté.

— Fred?

Sa voix tremble. Elle se fraye un chemin à travers les barquettes de poulet thaï et les bouteilles vides. Je porte les mêmes vêtements depuis des jours. Une barbe embroussaille mon visage.

— Oh mon Dieu, Fred. T'es-tu vu? Pouah.

Elle-même ne semble pas en grande forme. Elle a maigri et sa peau est livide.

— Ça fait combien de temps que t'es là?

Je gargouille quelque chose. J'ai la bouche pâteuse et une haleine de sanglier. Elle s'approche pour lire l'écran par-dessus mon épaule.

— Arrête de lire ça, tu te fais du mal pour rien.

— Ça me fait du bien de me faire mal.

Elle rabat le couvercle de mon ordinateur comme on ferme une poubelle.

— Y a des monsieurs qui veulent te voir en haut.

— Des journalistes?

— Non. Des inspecteurs… Je sais pas trop. Y m'ont interrogée. Là, c'est à ton tour.

Je monte lentement. Deux types sont debout dans le salon. Un petit maigre, qui flotte dans son costume, se tient droit comme un I. Son acolyte est un cinquantenaire débonnaire et bedonnant, avec une barbe bien taillée et des lunettes. Les mains dans le dos, il contemple avec attention la sérigraphie de Riopelle.

Je m'affale dans un fauteuil. Ma chemise est tachée de sauce séchée et il me manque une chaussette. La seule que j'ai serpente devant mon pied comme la peau d'une couleuvre en mue. Mon délabrement est spectaculaire, mais les flics en ont vu d'autres.

Le petit jeune prend les devants.

— Frédérick Limoges? Sébastien Gourde, Jean-Jacques Lamontagne : enquêteurs de police à la Section des crimes majeurs. Suite au décès de votre fils Nestor, vous faites présentement l'objet d'allégations de négligence criminelle ayant causé la mort.

Je me crispe dans mon fauteuil. Je ne comprends rien de ce jargon policier. On dirait un film. Le petit maigre continue.

— On aimerait vous interroger. Mais d'abord il faut que je vous dise que vous avez le droit de garder le silence. Vous avez droit à l'assistance d'un avocat. Est-ce que vous connaissez un avocat?

— Non.

— On peut vous référer quelqu'un à l'aide juridique.

— Pas nécessaire.

— Vous renoncez à votre droit à l'avocat?

— Pas besoin d'avocat, crisse, j'ai oublié mon flo dans l'auto. Qu'est-ce qu'on peut dire de plus ? Je vous promets que je ne recommencerai pas : j'ai pas d'autre enfant.

L'enquêteur Gourde tient à reconstituer minutieusement les circonstances du drame. L'heure exacte de mon arrivée au stationnement, la position du soleil, si j'ai souvenir d'avoir verrouillé les portes, est-ce qu'il y avait des tensions dans la famille ? Je ne comprends pas ce souci du détail.

— Pourquoi vous me posez toutes ces questions-là ? Pas besoin d'enquête, je l'ai oublié. C'est un accident. Vous allez quand même pas m'envoyer en prison ?

— Si des accusations sont déposées, vous aurez un procès.

Ma bouche est soudainement très sèche. Pendant ce temps, le gros enquêteur promène son regard sur les toiles accrochées dans le salon.

— C'est vraiment beau, chez vous. J'aime beaucoup le Borduas.

Le petit maigre poursuit.

— Le matin du drame, vous deviez aller reconduire votre fils à la garderie. Pourquoi vous l'avez pas fait ?

— Normalement, il allait pas à la garderie ce jour-là. Je devais les appeler avant pour voir s'ils avaient de la place. Sauf que j'avais perdu le numéro, ça fait que j'ai décidé d'aller le reconduire direct. Mais j'étais préoccupé à cause de la job… J'ai carrément oublié qu'il était dans l'auto. Ça m'est complètement sorti de la tête.

— Êtes-vous d'un naturel distrait ?

Depuis la cuisine, Marieke intervient :

— Il oublie tout le temps toute. L'autre jour, on est allés en pique-nique, et il a oublié la nappe.

Gourde cesse de prendre des notes et me regarde de ses petits yeux inquisiteurs.

— C'est vrai ?

— Oui.

— Avez-vous des remords ?

— Oui… J'aurais dû prendre une nappe.

Je lui offre mon sourire le plus cynique.

— Évidemment que j'ai des remords ! Qu'est-ce que vous croyez ? C'était mon seul enfant, et je l'aimais plus que tout.

Il griffonne à toute vitesse et range son calepin. Il marche vers la porte à pas vifs.

— Est-ce qu'on pourrait voir votre auto ?

Je les accompagne dans l'entrée de garage. Dehors, il fait cruellement beau. Une joggeuse passe dans la rue déserte. Les caméras ont levé le siège. En ces temps d'info continue, les médias bourdonnent dans la cité, toujours en quête d'un nouveau cadavre où pondre leurs œufs pour faire éclore une bonne histoire.

Pendant que son gros collègue examine l'écorce du grand chêne planté sur mon terrain, le petit enquêteur prend des photos de ma voiture et vérifie les sangles du siège d'enfant. Après avoir rangé sa caméra, il me regarde en tentant un regard compatissant.

— Bon, on a tout ce qu'il nous faut. Merci de votre collaboration.

— Qu'est-ce qui va se passer ?

— On va remettre notre rapport au bureau du Directeur des poursuites criminelles et pénales. C'est eux qui vont décider de porter ou non des accusations contre vous. Bon courage.

Le corps affaissé, les bras ballants, je déploie ma déchéance comme un drapeau.

— Monsieur Gourde. Regardez-moi. Je suis détruit. Ça vous donnerait quoi de m'envoyer en prison ?

— C'est pas moi qui écris la loi.

— Dans tous les médias, on me traite comme un tueur en série. J'ai des remords pour le restant de mes jours. Ma femme me parle plus. Ma vie est finie. Vous pensez pas que c'est assez comme punition ?

Je l'implore du regard en espérant que mon plaidoyer a fait mouche. Il me fixe longuement.

— Je vous conseille fortement de faire appel à un avocat.

Délaissant l'arbre, le gros enquêteur se retourne vers moi.

— Faudrait traiter votre chêne. Il est infesté de perce-oreilles.

Je m'approche de l'arbre pour en inspecter l'écorce. Un peu trop facilement, j'en détache un grand morceau. Dans la plaie, des dizaines d'insectes à pinces s'agitent en tous sens. Je rentre, complètement abattu. Dans l'embrasure de la cuisine, Marieke m'attend, les bras croisés.

— Toi, penses-tu que je suis un assassin ?

Elle met du temps à répondre. Trop de temps.

— Non.

Elle me regarde durement avant de laisser tomber :

— Mais je te pardonnerai jamais.

Marieke marche vers moi. Je veux l'étreindre, mais elle m'esquive en traînant les pieds vers l'escalier. La peine nous éloigne. Deux porcs-épics gelés incapables de se rapprocher pour se réchauffer.

Des taches de lumière blanche dansent devant mes yeux. Je me laisse tomber dans le sofa. J'aimais mon fils inconditionnellement et démesurément. Qui peut croire un instant que j'aie eu l'intention de le tuer ? Ce cauchemar est sans fin. Chaque fois que je crois avoir touché le fond, le plancher cède et je chute encore plus bas.

J'ai mal. J'ai mal à tout mon être. La douleur me brûle par en dedans comme une tumeur. Je verse de la vodka glacée sur le feu.

*

À mon réveil, je n'ai aucune conscience du temps. C'est le soir. Je monte prendre une douche. Ça tourne, et je sens chaque battement de cœur pulser sur mes tempes. La porte de la chambre de Nestor est fermée. Le corridor est lugubre et silencieux. Il me semble que la température a baissé. La maison est tellement vide sans lui. Comment un si petit être a-t-il pu prendre autant de place dans ma vie ? Je ressens son absence à l'intérieur de mon corps, comme si on m'avait amputé d'une partie de mon âme.

La douche me fait du bien, mais même propre, je fais peur. Mon regard est inexpressif. Mes cheveux ont allongé et ma barbe dissimule en partie la maigreur de mon visage. Devant le miroir, j'hésite à me raser. Je décide finalement de tout laisser pousser. Ma pilosité marquera mon deuil et me fournira un excellent camouflage. Ma semaine sur Internet m'a rendu paranoïaque et j'ai l'impression d'avoir le monde à mes trousses.

Dans le lit, Marieke consulte un magazine, enfouie dans son pyjama Teletubbies. Je m'allonge contre elle.

— Qu'est-ce que tu lis ?

— Regarde s'il aurait été beau avec ça.

Elle me tend une revue de filles illustrant les paradoxes du féminisme. Jouxtant des éditoriaux exhortant les femmes ménopausées à accepter leur corps ramolli, des publicités de crèmes amincissantes mettent en vedette des ados de seize ans filiformes et photoshopées. Marieke consulte un dossier consacré à la mode pour enfants. Un petit garçon qui ressemble épouvantablement à Nestor pose en salopette. Visiblement, Marieke aussi aime se faire du mal.

Je lui flatte les fesses avec insistance. Depuis une semaine, je suis sous l'emprise de Thanatos. Or voilà qu'Éros me ressuscite. La sève du désir irrigue mon corps desséché et me ramène à la vie. Pour réconcilier les âmes, rien ne vaut le rapprochement des corps. Mais Marieke ne l'entend pas ainsi. Elle s'éloigne en se tortillant. Je me glisse vers elle, jusqu'à l'acculer au bord du lit. Elle me tourne le dos en continuant de lire.

Encore un rejet. Je me retourne en ruminant ma frustration.

— Moi aussi, j'ai mal. Si ça se trouve, encore plus que toi parce que je me sens coupable.

— Tu peux pas juger de ma douleur. Toi, t'as ta culpabilité. Moi, j'ai ma colère contre toi.

On est dos à dos, mais au moins on se parle. Pour la première fois depuis la mort de notre enfant.

— Ta colère te ramènera pas Nestor.

— C'est plus fort que moi. J'y pense chaque seconde.

Je n'ai rien à répondre. Je la sens lâcher sa revue et se retourner lentement. Je me retourne aussi. Nous sommes face à face.

— Comment t'as fait pour l'oublier? C'était ton fils. Notre fils. Pas une pinte de lait, crisse.

— Je me couperais les deux bras pour pouvoir revenir en arrière.

Je l'implore du regard. Je ne veux pas son pardon, mais son empathie. Je veux qu'elle croie en la sincérité de mes regrets. Je veux qu'elle sache que je ne dormirai plus jamais en paix. Ses yeux sont d'une impitoyable neutralité. Elle me tourne le dos en marmonnant un laconique:

— Bonne nuit.

*

Au fond d'un sombre corridor, des gros tatoués vêtus d'un pantalon beige et d'une chemise bleu pâle m'entourent dans un coin. Dans le cou, dans le visage, sur les doigts, partout des *tatoos*; ornements grossiers d'une tribu primitive. Des mains brutales m'empoignent. Je me laisse faire. Un assaillant brandit un couteau artisanal fabriqué avec du *tape* et une cannette de Coke. Juste avant que la lame me tranche la gorge, j'aperçois au loin un gardien qui détourne le regard en astiquant sa carabine. Je ferme les yeux, presque serein.

Je me réveille en sursaut dans la nuit. Par une fente du rideau, des branches jettent des ombres mouvantes et mystérieuses dans la chambre. Le silence est d'une telle densité que des acouphènes me silent aux oreilles. Marieke dort sur le dos. Tirés vers le bas par d'invisibles tendeurs, les coins de sa bouche lui donnent un air de momie. Elle a vieilli de vingt ans.

Soudain, des pas dans le corridor. Ses pas! Des petites bottines martelant le plancher; chocs sourds et saccadés d'une démarche encore mal assurée. Le cœur battant, je me précipite dans le couloir. Rien. La porte de sa chambre est entrouverte. N'était-elle pas fermée quand je me suis couché? Je pousse la porte avec un espoir dément.

La chambre est vide, évidemment. Ses bottines sont rangées à côté de son lit.

Nestor, treize ans, et Frédérick, cinquante-deux ans, arrivent
à l'école secondaire Gaston-Miron. Nestor porte un sac à dos.
Des dizaines de jeunes convergent vers l'esplanade. Une affiche
«Bienvenue» est tendue au-dessus de l'entrée principale.

Fred s'arrête et saisit Nestor dans ses bras. Le fils accepte
l'étreinte, mais s'en dégage au bout d'un moment.

— Tu vas voir, mon gars, le secondaire, c'est tripant. Les
plus belles années sont devant toi.

Nestor claque l'épaule de son père, rayonnant de confiance.

— Ça va bien aller, p'a.

Nestor se dirige vers l'école. Il marche avec désinvolture,
comme s'il avait une jambe plus courte que l'autre. La palette de
sa casquette est inclinée avec un chic négligé. La jambe gauche
de son jeans est savamment relevée sur son espadrille bottine.

Fred regarde avec amour son fils se fondre dans la marée
d'élèves.

Nestor rejoint des amis, qu'il salue d'une poignée de main
complexe.

Le malheur est multiplateforme. À mon chagrin, il faut maintenant ajouter la peur sourde d'une éventuelle condamnation. La possibilité d'un emprisonnement est réelle. Et comme tout le monde, je suis au fait de la férocité des détenus envers les tueurs d'enfants.

Heureusement, le délire s'estompe sur Internet. La vindicte populaire s'acharne maintenant sur un artiste surpris en flagrant délit de bestialité avec son chien. Un extrait vidéo circule sur la toile. On ne voit pas grand-chose, mais c'est suffisant pour que le tribunal populaire rende son verdict. Un clou chasse l'autre. Tant mieux pour moi. On ne peut pas m'enfoncer plus creux.

Un soir, Gilles passe me chercher. Face à moi dans le cadre de porte, il est sonné par ma négligence. C'est vrai que ma barbe a bien poussé. Pas une barbe de pseudo-bûcheron urbain buvant des gins concombre dans un pot Mason ; une barbe de naufragé attendant d'être secouru. Il me prend dans ses bras avec énergie.

— Habille-toi, le grand, on sort.

Je monte m'habiller sans rien dire. Marieke est déjà au lit avec la doudou de Nestor sur ses genoux. Elle parcourt un catalogue de meubles. J'enfile une chemise et je prends une veste

— Je sors avec Gilles.

— Regarde le beau lit pour Nestor. Y a même un deuxième matelas pour inviter un ami à coucher.

Elle me montre fièrement l'image d'un lit gigogne en forme d'auto de course.

— Miki, y est pus là, Nestor.

— Je le sais. Je fais juste regarder.

Elle sombre corps et biens. Elle persiste à prolonger la vie de notre fils dans sa tête.

Avant de sortir, je mets mes lunettes fumées. Gilles s'exclame :

— Hé, Jim Morrison !

C'est vrai qu'avec ma barbe j'ai la tête hirsute et empâtée du chanteur des Doors dans sa période de déchéance parisienne. *Show me the way to the next whisky bar.*

Dans l'auto, on roule en silence. Je n'ai rien à dire et Gilles ne sait pas par quel angle ouvrir l'huître de la conversation.

— Tu me rappelles pas. Je m'ennuie, le grand.

— Désolé. Mon cell est mort.

Excellent choix de mots pour plomber l'atmosphère. Nous aboutissons aux danseuses. Je n'ai rien contre. La réaction de mon corps à la beauté des femmes est la seule chose qui me rappelle que je suis encore en vie. Marieke préfère la fraîcheur des fantômes. J'ai besoin de la chaleur de la chair.

La décoration est plutôt bien. Des grands drapés rouges vaguement orientaux et des divans en similivelours. Protégé par la noirceur des *black lights*, j'enlève mes lunettes fumées. Il est encore tôt et la place est presque vide. Assises au bar, les filles s'emmerdent en consultant leur téléphone. La lumière des écrans baigne leur visage trop maquillé d'un halo fantomatique.

La musique hip-hop est sensuelle et *groovy*. Nestor aurait adoré. Un portier gigantesque nous conduit à une banquette. Gilles lui tend vingt dollars. Les codes sont clairs. Tout le monde est poli et civilisé.

La serveuse vient nous voir rapidement. Une jolie brune en minijupe avec un chemisier noué et des lulus. Elle nous salue avec la chaleur qu'on réserve aux vieilles connaissances. Aux danseuses, tout s'achète, même la gentillesse. Gilles commande trois shooters. À son retour, la serveuse s'assoit en faisant cul sec avec nous. Puisqu'on lui paye un verre, on a droit à une conversation.

— Moi, c'est Gilles. Lui, c'est Fred.

— Enchantée. Ganaëlle.

— C'est ton nom d'artiste ?

— Non, c'est mon vrai nom.

— Ça vient d'où ? Roumanie ? Pays baltes ?

— Ça vient des Royaumes oubliés. C'est en elfique. Mes parents étaient des tripeux de Donjons & Dragons.

Gilles s'esclaffe franchement. Malgré moi, j'esquisse un sourire. Le premier depuis mille ans. Ganaëlle étudie en histoire de l'art. Intitulé *Le rappeur supérieur*, son mémoire de maîtrise porte sur l'influence hip-hop dans l'œuvre du peintre Jean-Paul Riopelle.

— Vers la fin de sa vie, Riopelle faisait de l'arthrite. Il ne pouvait plus tenir ses pinceaux. Il a commencé à peindre avec des bombes aérosol, comme les graffeurs. Il ramassait tout ce qu'il trouvait sur la plage et faisait des pochoirs, comme un DJ qui fait des *tracks* avec des *samples*. Le graf et le *sampling*, c'est absolument hip-hop.

Ganaëlle parle avec verve, complètement inconsciente de sa beauté sous les *black lights*. Mes yeux et mes oreilles sont fixés sur sa bouche. Je suis fasciné par son *gloss* et l'audace de sa thèse. Je n'avais jamais envisagé qu'un peintre québécois puisse être redevable à Run DMC. J'en prendrais encore, mais elle a d'autres chats à flatter.

Le DJ présente Lovely, une danseuse noire au derrière pharaonique. Juchée sur des talons hauts, elle dandine fièrement ses fesses, qui s'entrechoquent comme deux plaques tectoniques. Un tremblement de chair à chaque enjambée. Gilles est bouche bée. Il commande deux vodkas canneberge. Même si je n'y crois pas trop, je dois au moins à mon ami d'entamer une conversation.

— Pis, qu'est-ce qui se passe au ministère ?

— C'est pas terrible. Y a des coupures partout. Ceux qui restent doivent faire toute la job. On fournit pas. Tout le monde écoule ses congés de maladie. Suzanne est au bord du *burn-out*.

— Ostie qu'y sont innocents. Aux Stats vous êtes débordés, pis aux Archives y ont rien à faire.

— Tu sais, Fred, au début je te plaignais d'avoir été transféré, mais maintenant je me demande si je prendrais pas ta place.

— Crois-moi, tu veux pas changer de place avec moi.

Il se pince les lèvres comme quelqu'un qui regrette ce qu'il vient de dire.

— Je me doute bien de la réponse, mais je te pose la question quand même : comment tu vas ?

Je sirote pensivement mon verre en regardant des jeunes noirs à casquette faire disparaître des billets entre les fesses de Lovely. Avec la lenteur d'un iguane, je me tourne vers Gilles.

— Ça va pas bien.

— Le grand, si tu savais comment je compatis avec toi. Je suis tellement désolé de ce qui t'arrive.

— Le gros, si tu savais combien ta compassion me fait du bien. T'es le seul de mon bord.

— Pis Marieke ?

— Elle veut plus rien savoir de moi. Elle dit qu'elle me pardonnera jamais.

— Laisse-lui le temps.

— Je sais pas. Les femmes, c'est pas pareil. Pour une femme, c'est totalement inconcevable d'oublier son enfant. Elles pensent à la famille tout le temps, même quand elles font d'autres choses.

Sur la scène, une danseuse très musclée termine son numéro suspendue à une barre transversale, en faisant le grand écart la tête en bas. Gilles la regarde béatement. Il tient son verre suspendu devant sa bouche ouverte.

— C'est vrai que les gars, on n'est pas tellement multitâches.

Happé par le spectacle, Gilles tente d'attraper la paille avec ses lèvres. Il a l'air d'une perchaude devant un hameçon. La fille tient la pose. Ses longs cheveux noirs touchent à terre. Elle est parfaitement symétrique et sa vulve est ouverte comme une fleur.

— En plus, il y a des enquêteurs qui sont passés à la maison. Ils veulent m'accuser de négligence ou de meurtre, je sais pas trop.

Tout en applaudissant la danseuse qui se rhabille, mon ami se tourne vers moi.

— Calvaire. As-tu un avocat?

— Pas besoin d'avocat, je l'ai oublié, crisse. Qu'ils me mettent en dedans et qu'on en finisse.

— Faut que tu te battes, le grand. J'ai un ami avocat. Un type extraordinaire. Y peut t'aider.

— T'as de la visite.

Une fille dont les seins tendent sa camisole aux limites des lois de la physique vient s'asseoir à côté de Gilles. Elle avance sa poitrine comme un étal à melons. Son sourire est faux comme les bébelles en plastique des boutiques à souvenirs. Elle n'a pas l'air très intelligente. Instantanément, Gilles se désintéresse de mes malheurs. Il échange quelques mots avec la fille, avant qu'elle le remorque à un isoloir en le tirant par la main.

Au son d'une musique arabisante, Shéhérazade entre en scène, ondoyante beauté du désert toute en courbes. Elle porte un niqab et un tanga blancs. À ses poignets, des anneaux métalliques tintent à chacun de ses mouvements.

Son numéro terminé, elle marche directement vers moi. À travers la fente de son niqab, ses yeux d'épervier cerclés de mascara me fixent. Un regard étrangement familier. Elle me prend la main en m'entraînant doucement vers un isoloir.

À l'abri dans la cabine, elle me fait asseoir sur la banquette. Shéhérazade ondule devant moi comme un cobra, parfaitement en phase avec la musique, un tube de Biggie Smalls pertinemment nommé *Hypnotize*. Ses bras levés révèlent des seins parfaits. Elle me frôle le visage avec son ventre. Rien à voir avec la vulgarité de ses consœurs. C'est épouvantablement érotique.

Selon les règlements, j'ai le droit de la toucher partout, sauf le sexe. Je place mes mains sur ses hanches. Ça oscille souplement, comme un gyroscope. Sa peau est beaucoup plus ferme que celle de Marieke. Je ferme mes yeux et plaque mon visage sur son ventre ciselé.

Je vois des images de nébuleuses et de galaxies spiralées. Nestor doit être là, dérivant paisiblement dans l'infini de l'univers. Je me sens bien pour la première fois depuis longtemps. Je pleure doucement, la tête appuyée sur le ventre de Shéhérazade. Des larmes glissent sur sa peau avant de se perdre dans l'oasis de son nombril. Elle arrête de bouger et me prend les cheveux en laissant tomber sa tête sur la mienne. Je sens son corps secoué de légers spasmes. Elle sanglote elle aussi.

Je relève la tête. Elle enlève son niqab. Tania ! Je retire mes mains de ses hanches comme si j'avais touché un rond de poêle brûlant. Les beaux grands yeux de l'éducatrice de mon fils sont brouillés par les larmes. Son mascara coule, comme aux funérailles.

Elle approche ses lèvres de mon oreille pour couvrir la musique.

— Il me manque tellement.

Elle me regarde dans les yeux, avant de poursuivre entre deux sanglots.

— J'ai lâché la garderie. J'étais plus capable. Je le voyais partout. Il était tellement fin.

Elle s'assied sur mes genoux en pleurant de plus belle. Une larme glisse entre ses seins. Je n'ai plus envie de la toucher. Il n'y a plus rien de sexuel. Je l'enlace d'un bras maladroit. J'ai l'impression de consoler une petite fille géante. Nous pleurons ensemble la mort de mon fils.

Peut-être que l'abbé Théberge avait raison. Si brève aura-t-elle été, la vie de Nestor s'est révélée utile, puisque des gens l'ont aimé. Pour tous ceux qui l'ont connu, il a traversé le ciel comme une comète fulgurante et la trace de son souvenir illuminera nos mémoires longtemps après son passage.

*

Ça ne va plus du tout avec Marieke. Son déni atteint des sommets inquiétants. Mais je n'ai pas de leçons de deuil à donner. Je bois toute la journée. Juste assez pour anesthésier la douleur, mais pas trop pour ne pas couler. Ma cale est inondée, je flotte entre deux eaux, comme une épave fantôme.

Un matin, je mange des rôties beurrées de Map-O-Spread, un infâme mastic trop sucré que j'ai toujours détesté mais que Nestor adorait. C'est un sacrifice à sa mémoire.

Le soleil baigne la cuisine d'une chaude lumière. Marieke arrive dans la cuisine, débraillée comme un épouvantail. Le frottement de ses pantoufles sur le carrelage est insupportable. J'essaie d'avoir l'air de bonne humeur.

— Bonjour, Miki.

— Allô.

Elle traîne ses savates jusqu'au frigo. Elle sort le jus d'orange et s'en verse un grand verre. Je la regarde avec désolation. Ses gestes sont lourds et imprécis. Toute sa vitalité s'en est allée. Ce n'est plus ma femme, c'est un zombie. Elle sort un petit gobelet-biberon en plastique vert qu'elle emplit de jus d'orange. Elle dépose le gobelet sur le plateau de la chaise haute de Nestor.

Marieke sort une boîte de céréales du garde-manger et s'en remplit un bol. En y versant du lait, elle en répand partout. Je tente une amorce avec le sujet universel.

— Y va faire beau aujourd'hui.

— Ça doit.

Elle n'a même pas jeté un œil dehors. De retour au garde-manger, elle saisit une boîte de céréales pour bébé. Elle prend un petit bol en plastique, y verse des céréales et ajoute du lait avant de mélanger uniformément avec une petite cuillère. Elle dépose le bol sur le plateau de la chaise haute, à côté du jus d'orange.

Elle s'assoit au comptoir face à moi et mange ses céréales la tête dans son bol. Je la regarde, à la fois sidéré et furieux.

— Tu sais, Miki, y est pus là, Nestor.

Ses mâchoires écrasent les céréales avec d'insoutenables bruits de meule qui broie du grain.

— Miki, y est mort, Nestor.

— Je le sais.

— Ça donne rien de continuer à le nourrir.

— Je le sais.

Elle parle la bouche pleine. Du lait coule de ses commissures.

— On peut pas faire semblant qu'y est encore là. C'est comme sa chambre. Y va falloir penser à donner ses affaires.

— Jamais !

Elle repousse violemment vers moi son bol de céréales et décampe dans le salon avant de gravir les escaliers quatre à quatre. J'essuie le lait sur.ma figure en courant à sa suite.

— Miki!

Elle s'est réfugiée dans la couchette de Nestor. Une toile d'araignée s'étale entre deux barreaux. Enroulée dans la couverture de sa mère, Marieke pleure. Au-dessus d'elle, le mobile tourne en jouant la *Sonate au clair de lune*.

— Miki...

Je tente de la flatter.

— Touche-moi pas.

J'insiste. Elle se retourne vers moi en feulant comme une panthère. Ses pupilles vibrent de folie.

— Touche-moi pas!

Mieux vaut laisser passer l'orage. Je redescends dans la cuisine. Dans le congélateur, une bouteille de vodka glacée m'attend. Il va falloir renouveler le stock; il n'en reste que quatre.

*

On sonne à la porte. Assoupi sur le sofa, je me lève avec peine pour répondre. Fin trentaine, débraillé, cheveux ébouriffés, maître Gauvin entre dans ma vie comme un typhon dans un marais. Il porte une chemise lie-de-vin et un pantalon turquoise.

— Salut, Frédérick. Maître Simon Gauvin. C'est Gilles qui m'a dit de te contacter. Tu répondais pas, ça fait que je suis passé.

Il me serre la main avant de poser une mallette et une grosse chemise brune en accordéon sur la table basse du salon. Il sort un calepin, prend un crayon et s'assoit dans le fauteuil.

— Gilles m'a raconté ton histoire, mais je vais avoir besoin de détails.

— Écoutez, maître, c'est très gentil à vous, mais je suis pas sûr de pouvoir vous payer. De toute façon…

— On parlera d'argent plus tard. Là, t'es dans la marde, il faut te sortir de là. C'est arrivé quand?

Il met son crayon dans sa bouche avant de relever les manches de sa chemise. Il a plus l'air d'un *trader* que d'un avocat, mais bizarrement sa fougue m'inspire confiance. Je raconte tout. Encore. Sauf qu'avec lui, je ne me sens pas comme un salopard, mais comme quelqu'un qui mérite d'être aidé.

— Je vous jure, maître, que je n'ai jamais eu l'intention de tuer mon gars. Je ne suis pas un meurtrier.

— Oh, mais je te crois. La Couronne aussi, d'ailleurs. S'il y a une accusation de déposée contre toi, ce ne sera pas de meurtre, mais de négligence criminelle ayant causé la mort.

— C'est quoi, la différence?

— Pour être prouvé, un meurtre implique deux principes juridiques : la *mens rea*, c'est-à-dire l'intention de commettre un crime, et l'*actus reus*, l'acte criminel lui-même. Dans un cas de négligence, par définition, la *mens rea* ne s'applique pas.

Tout ça me laisse un peu confus.

— Je sais, ça fait beaucoup de latin. En ce qui te concerne, la preuve de l'*actus reus* est accablante. Tu l'as même admise aux enquêteurs.

— Donc j'ai aucune chance.

— Calme-toi. Le juge doit aussi considérer l'écart marqué entre ton comportement et celui d'une personne normale placée dans la même situation. Le fameux principe du bon père de famille.

— Un bon père de famille oublie pas son enfant.

— La négligence criminelle est une zone grise avec des nuances infiniment subtiles. T'es pas encore condamné. Ça se peut que t'aies même pas de procès.

Gauvin me tend la grosse chemise brune en accordéon.

— Tiens, je t'ai apporté des jugements sur la négligence criminelle. Tu vas pouvoir te faire une tête avec les différents concepts juridiques. Tu vas voir, c'est très intéressant.

Pendant que je feuillette un dossier, il prend des notes, pianote sur son ordi et consulte des documents en me demandant des précisions. Il s'intéresse particulièrement à ma situation professionnelle et veut tout connaître de mon état depuis ma mutation aux Archives.

— Bon. J'en sais assez pour commencer à travailler. J'ai une bonne idée de notre ligne de défense.

Il plaque sa main sur mon épaule en me regardant franchement.

— T'es plus tout seul. On va se battre ensemble.

*

J'ai toujours considéré les avocats comme des rapaces à l'affût de la misère humaine. Mais je dois admettre que maître Gauvin m'étonne par son empathie et sa compassion. Il m'appelle régulièrement pour me demander une précision, me faire part des progrès de son équipe de recherche ou me remonter le moral. Il y a chez lui un authentique sentiment de charité chrétienne. Il aurait fait un très bon prêtre. Un prêtre à quatre cents dollars de l'heure, mais un bon prêtre quand même.

Gauvin avait raison sur un point : l'univers de la négligence criminelle est passionnant. Couché dans le hamac de ma cour, je lis les jugements, immergé dans un concentré de bêtise humaine. Il y a la gourou de la sudation qui a laissé sécher une femme pendant huit heures. Les parents religieux qui ont cessé de donner de l'insuline à leur enfant diabétique, sous prétexte que Jésus leur avait annoncé qu'il était guéri. Une bataille de stationnement qui a mal tourné. Et bien sûr, la célèbre histoire de la fille ayant causé un accident de la route en tentant de sauver des canards.

Dans tous les cas, des mauvaises décisions ayant causé la mort. En ce qui me concerne, peut-on parler de mauvaise décision? Un oubli est-il une décision? Selon le Code criminel, pour engager la responsabilité, la négligence doit relever d'une «insouciance déréglée ou téméraire». Comment interpréter des concepts aussi abstraits? Quel est le sens exact de *déréglé*? En plus d'un avocat, il me faudrait un linguiste.

Un cauchemar récurrent hante mon sommeil. Poursuivi par une horde de prisonniers en furie, je fuis dans un labyrinthe de corridors infinis. À bout de souffle, j'aboutis dans un cul-de-sac. Tout en haut de moi, un juge avec sa grande toge noire se balance assis sur un trapèze, complètement indifférent à mon sort. Le dos plaqué au mur, je hurle en vain pour attirer l'attention du magistrat, pendant que les prisonniers se ruent vers moi avec des hurlements sauvages. Je me réveille en sursaut au moment où la meute me démembre.

*

Maître Gauvin a eu sa première rencontre avec les représentants du Directeur des poursuites criminelles et pénales. Assis dans ma cour, il peaufine notre stratégie alors que je lui sers une deuxième vodka canneberge. C'est un indécrottable optimiste.

— Je veux pas te donner de faux espoirs, mais ça s'est très bien passé. On a une bonne procureure, une madame compétente et très humaine. Elle a deux grands enfants. Ça, c'est bon pour nous. Si tu es d'accord, je vais tout faire pour éviter le dépôt d'accusations et, donc, un procès.

— Évidemment.

— D'un point de vue tactique, il va falloir que j'abatte toutes mes cartes dans l'enquête préliminaire. S'il y a procès, ça peut jouer contre nous parce que la Couronne aura eu accès à notre ligne de défense. Mais je pense qu'on a des bonnes cartes et qu'on se rendra pas au procès.

— C'est comme si au poker on faisait un *all in* préflop avec une paire d'as.

— Exactement. En gros, ta défense est simple : la jurisprudence reconnaît que la négligence inconsciente n'est pas criminelle. On va plaider la perturbation psychologique à la suite de ton transfert aux Archives. Il y a des précédents. J'ai aussi les témoignages de Marieke et de l'éducatrice de Nestor, qui confirment à quel point tu étais un père exemplaire.

Il parle avec passion de son plan de match. Le droit m'apparaît comme une affaire de stratégie plus que de justice. Mon sort repose entre les mains d'un hyperactif daltonien incapable de coordonner ses vêtements. Aujourd'hui, sa cravate corail jure avec sa chemise fauve. Heureusement, j'ai confiance en ses qualités de stratège.

L'énergie de maître Gauvin est fulgurante comme une ligne de coke. En sa présence, je me sens humain et j'entrevois une lueur au bout du tunnel. Par contre, dès son départ, je sombre inévitablement dans le doute. Et si Gauvin n'était pas le chevalier que j'imagine, mais un escroc qui me fait miroiter ma liberté en siphonnant mon argent ?

Au plus creux de ces épisodes dépressifs, je dérive sur YouTube.

J'aime particulièrement une vidéo des ruines de Tchernobyl filmées à partir d'un drone. Au son d'une musique planante, la caméra glisse sur les épaves d'une civilisation. Paquebots submergés, usines délabrées, manèges forains rouillés, autant d'épitaphes géantes à la mémoire du génie humain. L'aboutissement ultime et inévitable du progrès. Une zone fantôme purifiée de la folie des hommes, par la folie des hommes. Des oiseaux planent nonchalamment au-dessus d'édifices envahis par une végétation luxuriante. La nature aura toujours le dernier mot sur la vanité de l'*homo sapiens*. Curieusement, il émane de cette faillite humaine un puissant sentiment d'apaisement.

Dans les maisons désertes, des artéfacts illustrent la banalité de la vie. Couvert de masques à gaz, le plancher du gymnase d'une école témoigne de la panique qui a dû s'emparer des habitants au moment du drame.

Toute cette beauté tragique de cimetière paisible incite au lâcher-prise. Moi aussi, je suis en ruine. Qu'on me jette en prison. Qu'on me coffre dans un sarcophage en béton pour empêcher mon cœur irradié de contaminer le monde.

*

Par un superbe avant-midi d'été, la sonnette de la maison retentit frénétiquement. Je n'ai pas ouvert la porte que maître Gauvin surgit comme un diable d'une boîte, une bouteille de mousseux à la main. Il est vêtu d'un polo pervenche et d'un jeans caca d'oie.

— On a gagné, Fred! Ils déposeront pas d'accusations! Pas de procès! Pas de prison! Tu vas pouvoir continuer à ramasser ton savon sans te plier les genoux!

Gauvin me brasse par les épaules. Je n'y crois pas. Mon avocat commence à déballer le bouchon de la bouteille.

— Marieke est où? Va chercher des verres.

Assis sur la terrasse, maître Gauvin, Marieke et moi célébrons la victoire. Il est un peu tôt pour boire, mais comme a dit Churchill : « Le champagne est nécessaire en temps de défaite et obligatoire en cas de victoire. » Gauvin est hystérique. D'un point de vue professionnel, c'est un triomphe sur toute la ligne.

— Ils ont tout acheté. La procureure a conclu à un, et je cite, « malheureux et funeste accident ». Je te l'avais dit que ça valait la peine de se battre.

Enfin une bonne nouvelle. Un peu de répit dans la tempête. Quelque part dans la machine étatique, quelqu'un a fait preuve de compassion. C'est rassurant. Après quelques verres, je commence à réaliser ce qui m'arrive. Je me sens comme Atlas temporairement libéré du poids du monde par Hercule. Je vais enfin pouvoir commencer le deuil de mon fils et rebâtir mon couple.

Marieke est catatonique. Mis à part un sourire forcé, elle n'affiche aucune réaction. Son manque d'enthousiasme me laisse perplexe. Est-elle à ce point débranchée du monde, ou espérait-elle secrètement me voir puni par la justice ?

La décision du Directeur des poursuites criminelles et pénales fait peu de bruit dans les médias. Sauf à la radio. Les animateurs attisent la colère du bon peuple à coups de raccourcis malhonnêtes et de formules lapidaires. À quelques mots près, les auditeurs de la tribune téléphonique reprennent exactement les mêmes positions que les animateurs : devant la mollesse de la justice, les honnêtes citoyens vont-ils être obligés de se faire justice eux-mêmes ? Avec des sous-entendus très habiles, les animateurs appellent carrément à mon lynchage public.

Dans ce chœur homogène, une seule voix discordante, désagréable et zozotante : la voix de Clément. Impossible de s'y tromper, mon confrère des Archives a appelé la station pour prendre ma défense. Il soutient que la procureure a conclu à un accident malheureux et que je mérite de l'amour, pas de la haine. Les animateurs lui raccrochent au nez, avant de le passer au hache-viande en parodiant sa voix sans qu'il puisse répliquer.

Le geste de Clément me touche. Moi qui l'ai toujours méprisé, voilà qu'il vole à mon secours alors que tout le monde me largue. L'adversité révèle des alliés inattendus. Je promets de ne plus l'appeler le clown.

Pendant ce temps, mon couple se liquéfie. Naguère si vive et sociable, Marieke s'est emmurée dans un bathyscaphe et navigue dans les eaux glacées des profondeurs. Je ne la reconnais plus. Assise par terre dans la chambre de Nestor, elle parle pendant des heures au téléphone en néerlandais avec sa mère. Pas besoin d'être un traducteur onusien pour comprendre que ça ne va pas.

Il faut tenter quelque chose. Sur un coup de tête, je lance :

— Heille, on décrisse-tu ? On s'en va dans le Sud. J'ai besoin de changer d'air. Pis toi aussi.

Elle me regarde sans expression.

— Si tu veux.

Marieke n'est pas très proactive. Je dois l'aider à faire sa valise. Je choisis mon bikini préféré, le bleu à pois blancs. Elle insiste pour emporter la doudou de Nestor.

Le lendemain, on part pour Cuba. Une semaine dans un tout-inclus. À l'époque de la Nouvelle-France, un tel voyage aurait demandé des semaines de préparation. J'ai tout réglé en trois clics.

Tout cela est bien sûr une fuite en avant, mais qu'importe. Je me sens mieux dès notre arrivée à l'aéroport. J'éprouve une petite fierté à passer le détecteur de métal sans le faire sonner. Déchaussé et sans ceinture, je retiens mon pantalon devant des agents au détachement arrogant. L'un d'eux a même apposé le logo des Bruins de Boston sur sa cocarde d'identification.

À la porte d'embarquement, tout le monde est de bonne humeur et rit trop fort. Les passagers pour Varadero se pressent au comptoir comme un troupeau de bovins attendant d'être transbordés. Des étrangers engagent spontanément la conversation à propos de la température ou de la réputation de l'hôtel.

Suspendu à sa mère dans un harnais ventral, un poupon pleure sa vie. Paniqué, le père déverse le contenu d'un sac par terre en cherchant un biberon. Il a dû mal le ranger après la fouille.

Sans avertissement, Marieke s'adresse à la mère, qui tente de consoler son bébé.

— Moi, je donnerais n'importe quoi pour pouvoir entendre mon enfant pleurer.

Heureusement, la mère ne semble pas avoir entendu. Marieke est de plus en plus imprévisible. Je la dirige doucement vers la file d'embarquement.

Le bébé hurle tout le long du vol. Marieke chantonne des berceuses à voix basse, comme pour le rassurer.

Nous atterrissons à l'aéroport international de Juan Gualberto Gomez. Je lis dans un guide touristique qu'il s'agit d'un journaliste engagé dans la guerre d'indépendance contre l'Espagne. En attendant nos bagages, je fixe une gigantesque murale à la gloire de prisonniers politiques cubains toujours détenus aux États-Unis.

Un car nous conduit à l'hôtel. Marieke paraît détendue. J'essaie de créer un lien en lui partageant des informations recueillies dans mon guide touristique. L'étroite péninsule d'Hicacos avance dans la mer au nord de l'île. À notre gauche se déploie un chapelet d'hôtels appartenant pour la plupart à des consortiums espagnols.

Marieke semble s'intéresser davantage au paysage.

— C'est vraiment cool, les palmiers.

Elle a raison. Les palmiers bordent la route comme une haie d'honneur. Leurs grands afros oscillent dans l'air chaud. À notre droite, la baie de Cárdenas sépare la péninsule de l'île. De ce côté, la plage est occupée par des chantiers qui tournent au ralenti.

En arrivant à l'hôtel, on nous remet un bracelet vert fluo à porter en tout temps. C'est comme le marquage du bétail au fer rouge. Nous appartenons à l'hôtel El Regalo, un complexe qui s'étale en bordure d'une plage privée sur plus de deux kilomètres.

Sitôt dans la chambre, nous enfilons nos maillots de bain. Marieke est spectaculaire dans son bikini. Évidemment, ses seins ont rétréci ; rien n'est parfait. La production de lait maternel répond parfaitement aux standards capitalistes, l'offre s'ajustant instantanément à la demande.

Je la prends dans mes bras pour la caresser. Depuis la mort de Nestor, elle ne mange plus. Elle a retrouvé sa silhouette de Walkyrie musclée d'avant sa grossesse. Mon corps s'en souvient avec délectation. Je plaque mon érection sur sa cuisse, mais elle s'esquive en me traînant dehors par la main.

— La mer nous attend.

La plage est infestée de touristes tapageurs et grouillants. Deux enfants, probablement frère et sœur, courent dans les vagues. Instantanément, une lame me déchire le ventre. Que Nestor aurait été heureux à faire des trous dans le sable avec sa pelle… Il aurait pu batifoler dans l'eau complètement nu. J'imagine son rire à travers le cri des mouettes. J'aurai dû choisir un hôtel dix-huit ans et plus. Heureusement,

Marieke n'a pas vu les enfants. Je lui bloque la vue en levant le bras.

— Y a trop de monde ici. Viens, on va aller par là.

Nous marchons vers l'est jusqu'à nous retrouver complètement seuls sur une plage de sable clair. L'eau est turquoise comme dans les annonces. Pas un nuage à l'horizon. Un doux alizé tempère la chaleur. C'est un pléonasme de dire qu'il fait beau à Cuba.

Marieke sourit pour la première fois depuis longtemps. Elle entre dans l'eau en marchant lentement, jusqu'à s'immerger complètement. Comme si elle s'offrait en sacrifice à l'océan.

Sa tête réapparaît entre deux vagues, les cheveux plaqués par l'eau. Je bondis la rejoindre en nageant sous la surface. J'émerge soudainement devant elle. Je veux l'embrasser, mais elle pose sa tête sur mon cou, en m'entourant le bassin de ses jambes.

Nous flottons, enlacés entre ciel et mer. Deux naufragés à la dérive.

*

La bouffe du Regalo n'est pas terrible. Dans la cafétéria, il subsiste en permanence un relent de fruits de mer et de lait caillé. Pour citer un petit garçon qui s'est plaint à son père : « Ça sent l'écurie. » Au souper, nous sommes assaillis par la musique cubaine de très bon calibre, mais qui finit par me taper sur les nerfs. Les cuivres me percent les tympans et toutes les chansons contiennent le mot *corazón*.

Sinon, tout est parfait. Notre chambre a un accès direct à la plage et la boisson est gratuite. Dans la piscine, il faut nager pour parvenir au bar. Je suis quand même déçu par les mojitos. Par contre, je m'imbibe de rhum and coke à la santé de la normalisation diplomatique entre Cuba et les États-Unis. Le Regalo est l'endroit de l'île où la distance entre les deux pays est la plus courte. Cent soixante-cinq kilomètres nous séparent de la Floride, et par temps clair, on peut apercevoir le scintillement de l'opulence américaine. Rhum alcoolisé, Coke pétillant. Deux boissons, deux mondes ; à la fois si proches et si loin.

Nous passons nos journées à la plage. Marieke nage pendant que je bois au soleil. Ce soleil irradiant, source de toute vie et assassin de mon fils.

La douleur du deuil se modifie ; moins vive, plus diffuse, comme si, sous l'effet de la chaleur, elle se mêlait à ma chair. Un tatouage pour me rappeler mon oubli.

Je regarde Marieke s'éloigner dans la mer jusqu'à perte de vue. Elle m'échappe. Elle me coule entre les doigts comme du sable. Plus je serre le poing pour la retenir, plus elle me fuit. J'ai l'impression qu'elle ne reviendra jamais.

À son retour, épuisée, elle façonne d'immenses tableaux abstraits dans le sable. Des arabesques complexes, que la marée de la nuit rendra au néant.

Un après-midi, elle travaille une œuvre à quatre pattes avec un bâton, plus belle que jamais. Ses cheveux ont blondi et sa peau a foncé. Je lui demande :

— M'aimes-tu encore ?

Feignant de n'avoir pas entendu, elle remonte une mèche rebelle derrière son oreille, tout en continuant de tracer des courbes dans le sable. Sa langue est sortie et ses sourcils froncés. Comme Nestor quand il empilait des blocs. Je poursuis :

— Va falloir que tu me pardonnes, sinon on pourra pas continuer.

Toujours à quatre pattes, elle tourne sa tête vers moi. Je ne vois que son visage et ses fesses. Je réprime une érection dans mon maillot.

— Continuer quoi ? Y reste plus rien.

— Y reste nous deux. Y reste notre amour.

— Notre amour, c'était Nestor. Tu m'as enlevé mon bébé, pis tu voudrais que je te pardonne ? Salaud ! Salaud ! Salaud !

À chaque « salaud », elle poignarde le sable de son bâton. Je m'approche pour la prendre dans mes bras. Elle se calme. Le son de ses pleurs se perd dans les vagues. Les mouettes tournoient au-dessus de nous en lançant des cris moqueurs.

*

Je commence à me lasser de la plage et j'ai envie de voir La Havane. Marieke refuse de m'accompagner, préférant se baigner. Tant pis. Durant le trajet en bus, je remarque de nombreux panneaux-réclame à la gloire des révolutionnaires. Ça reste quand même de la pub, mais au lieu de vendre du Coke, on vend les slogans du Che.

À La Havane, les automobiles américaines des années cinquante contrastent avec l'architecture coloniale espagnole d'un autre siècle. La ville est grouillante et colorée. Parfaite pour y dissoudre la grisaille de ma peine.

Attablé à un café, je fais la connaissance de Guillermo. Sous son chapeau de planteur, il m'aborde dans un excellent français. Je lui commande un Cuba libre. En dissimulant mon bracelet d'hôtel tout-inclus, je lui demande ce qu'il pense des touristes.

— Moi, j'ai jamais quitté Cuba. J'ai pas Internet. Les touristes, ils apportent pas juste du *cash*, ils apportent aussi des nouvelles du monde.

Visiblement avide de compagnie, Guillermo me raconte sa vie. Il importe des électroménagers usagés en direct de Montréal. Son père a hébergé un membre du FLQ en exil à Cuba, qui a appris le français à toute la famille. À son retour au Québec, l'ancien révolutionnaire s'est recyclé dans le commerce des laveuses.

— Nous, on a gagné la révolution. Nos héros sont célébrés partout dans le pays. Vous, vous avez perdu le combat pour la liberté. Et vos héros sont traités en terroristes. C'est triste.

Il est prisonnier de son île, et c'est lui qui se sent libre. Je lève mon verre avec un peu trop d'emphase.

— ¡ *Larga vida a la libertad!*

Épuisé par son monologue, je prétexte un retour à l'hôtel pour me défiler. Complètement soûl, j'aboutis titubant dans le vieux port, au Castillo San Salvador de la Punta, une forteresse de quatre siècles érigée pour défendre la ville convoitée par les pirates et les empires coloniaux. La statue d'un fier capitaine se dresse sur une place, face à la baie. En m'approchant, je découvre qu'il s'agit de Pierre Le Moyne d'Iberville, corsaire émérite de la Nouvelle-France, né à Montréal en 1661.

Navigateur légendaire, vengeur et violent, combattant pour son profit personnel et la gloire de Louis XIV, il a bourlingué des glaces de la baie d'Hudson jusqu'au soleil des Antilles, fondé la Louisiane et terrorisé les Anglais. En vingt ans de combats, tant sur mer que sur terre, il n'a jamais perdu une bataille.

Le soleil tape trop fort. J'ai la bouche sèche et la tête qui tourne. Exactement ce qu'a dû ressentir Nestor dans l'auto. Je me place dans l'ombre du Cid canadien.

Dans la baie, des bateaux de pêche rentrent au port. Le 9 juillet 1706, d'Iberville a ancré son navire dans cette baie. Planifiant l'attaque de Boston et New York, il a soupé à bord en compagnie du gouverneur de Cuba, Pedro Alvarez de Villamarin. Les deux sont morts en pleine nuit dans d'atroces souffrances, terrassés par la fièvre ou empoisonnés par des espions anglais.

D'Iberville est connu des Cubains sous le nom de don Pedro Berbilla.

Que serait-il advenu des États-Unis si d'Iberville avait réussi à conquérir Boston et New York? Que serait-il advenu de Nestor si je ne l'avais pas oublié?

*

C'est la nuit. Je marche avec Marieke sur la plage déserte. On se tient la main. Elle a jeté sur ses épaules la doudou de Nestor. La lune se reflète sur la mer. Les vagues lèchent le sable. L'instant est paisible et solennel.

Nous arrêtons de marcher en même temps. Lentement, elle retire la doudou de ses épaules, enlève sa camisole et laisse tomber sa jupe. Elle n'a jamais été aussi belle. Je me déshabille très lentement. Sitôt enlacés, nous coulons sur le sable. Assouplie par le sel de la mer, sa peau est douce. Nos ombres s'allongent sur la plage, fusionnées en une seule entité oscillant au rythme des vagues.

La justice m'avait absous, mais pas ma femme. Lorsque j'entre en elle, nos corps savent que c'est la dernière fois.

Je pense que j'aurais pu faire le deuil de Nestor. Je pense même que j'aurais pu finir par me pardonner l'impardonnable. Mais Marieke ne veut plus de moi, et ça, je ne peux pas le supporter. Tout comme d'Iberville, mon couple a sombré à Cuba, dans les tourments d'un rêve inassouvi.

Je lui ai tout laissé. Auto, maison, meubles, toiles, argent du compte conjoint, tout. Ce qu'il me reste tient dans une valise.

Gilles a appris par un ami agent d'immeubles que Marieke a tout liquidé pour retourner vivre à Bruges chez ses parents. Ainsi, elle est redevenue l'enfant qu'elle a perdu.

Il me reste une semaine de congé, mais je n'ai plus d'endroit où ne rien faire. Je rentre au « travail » avec ma valise. Je reviens à la maison. La maison des fous.

Aux Archives, des surprises m'attendent. Une rose est posée sur mon bureau. Charmante attention. Sûrement pas Monique ; elle pianote comme d'habitude avec la bouche pincée. Certainement pas Patrice. Un paravent sépare nos deux bureaux. Il n'a pas répondu à mon salut, me faisant bien sentir qu'il a coupé tous les ponts avec l'infanticide que je suis.

Clément n'est plus là. Il est finalement parti à la retraite. J'aurais au moins voulu lui dire à quel point j'ai apprécié son soutien à la radio. Le cliquetis du clavier de Monique se répercute dans la voûte, amplifiant le vide laissé par Clément.

La lumière clignotante de mon téléphone indique que j'ai un message. Le directeur veut me voir à mon retour. Il a une bonne nouvelle à m'annoncer.

Aux Archives, il ne reste plus personne. Tout le monde doit être en vacances. Toujours à son poste derrière ses paravents, Serge Coutil arrose des plants de tomates en fredonnant *Fly Me to the Moon*. De luxuriants plants de basilic chargent l'air d'une forte odeur de pesto. Le directeur est vêtu d'un pantalon corsaire et d'un marcel. Il porte un chapeau de paille à large rebord et des petites lunettes fumées ovales. En m'apercevant, il pose son arrosoir et vient vers moi.

— Fred ! Quelle belle surprise. Wow, beau bronzage.

J'ai les cheveux et la barbe de Robinson Crusoë, mais il me complimente pour mon teint. Il faut dire que lui-même est d'une blancheur phosphorescente.

— Ouain, j'arrive de Cuba.

— *Cuba, sí ¡ Caliente, caliente !* Rien de mieux que la chaleur pour raviver la flamme dans un couple. En tout cas, t'as l'air en pleine forme. Tu devais pas rentrer la semaine prochaine ?

— Oui, mais j'étais tanné de rien faire.

— Initiative. J'aime ça. J'ai quelque chose pour toi.

Il a fouillé sur son bureau et m'a tendu un petit bout de papier.

— Ton code. Tu vas pouvoir donner ta pleine mesure.

Aucune allusion à la mort de Nestor. C'est peut-être aussi bien.

— Merci. J'ai hâte de commencer.

Je retourne à mon bureau. Dans sa bibliothèque, Ariane me salue de la main. Je murmure :

— Merci pour la rose.

Elle me sourit tristement. Patrice détourne la tête pour être certain de ne pas me voir. J'ouvre l'ordi et tape mon code. La page vierge de mon traitement de texte me nargue dans toute sa blancheur. Je repense à ce que Gilles m'a dit après le squash.

Écrire…

Je vais me promener dans le dédale des rayons de documentation à la recherche d'inspiration. Cette fois-ci, j'ai pris soin de marquer mon chemin en laissant dépasser un document des rayons à chaque intersection.

Parvenu au bout d'une allée, je m'assieds et retire un cahier spiralé au hasard. *Prolégomènes ontologiques, épistémologie pratique.* Octosyllabes rimés ; je me demande si c'est voulu. Le texte est un charabia bureaucratique abscons. Le langage vidé de tout son sens. Comme ma vie.

Mû par une impulsion soudaine, je commence à empiler des documents entre deux étagères. Grâce à un savant assemblage de voûte en encorbellement, je réussis à former un abri pouvant ressembler à une hutte de castor.

Plus d'enfant, plus de femme, plus de maison, plus de job ; pas de doute, je suis parvenu au bout.

Je m'endors dans ma tanière, avec un *Traité de sémantique appliquée à la gouvernance organisationnelle* en guise d'oreiller.

À mon réveil, tout est clair. Je regagne mon bureau presque en courant. Je m'assieds devant mon ordi et je commence à taper frénétiquement. Les cliquètements de mon clavier rejoignent ceux de Monique.

*

Puisque je dors sur place dans mon abri de papier, je suis le premier arrivé et le dernier parti. Malgré mon allure de clochard hirsute, le directeur est très content de moi. Durant les pauses, il me complimente souvent pour mon assiduité et m'érige en employé modèle, au grand dam de Patrice.

Il faut aussi me tenir en forme. J'ai recommencé à jouer au squash avec Gilles tous les vendredis. Le soir, en guise d'haltères, j'empoigne deux dictionnaires lexicographiques du français au bureau.

Mon pote s'inquiète pour moi. Il a bien raison, mais qu'est-ce que je peux y faire ? Je lui ai dit que j'avais déménagé dans un charmant condo avec vue sur le fleuve, mezzanine et terrasse, mais je sens qu'il n'y croit pas. Il me pose des questions et insiste pour m'aider à m'installer. Tout ça ne pourra pas durer très longtemps.

*

Un jour, le directeur nous présente un nouveau qui prend la place de Clément. Le jeune arrive du service de la Documentation. Un idéaliste qui veut commencer à travailler tout de suite. Il me rappelle mes débuts aux Archives. Par-delà le paravent, Patrice lui lance :

— Oublie ça, ça prend ton code.

Toujours en quête d'un nouvel allié, Patrice se lève et va fraterniser avec le nouveau. Leurs éclats de rire gras se réverbèrent dans la voûte. Je sais qu'ils médiront de moi pendant les pauses. Grand bien leur fasse.

Quant à moi, je passe mes journées à écrire sur mon ordinateur. La seule façon de connaître la vie de mon fils, c'est de l'imaginer.

Frédérick, cinquante-cinq ans, Marieke, cinquante-sept ans, et Zoé, douze ans, sont rassemblés sur la plage d'un lac avec quelques centaines de personnes. Fred et sa femme se tiennent par la taille. Au loin, sur le lac, une trentaine de canots menés par des adolescents avancent en ligne vers la plage. La foule chante la chanson des Nomades, sur un air de Richard Séguin.

Parvenus à une centaine de pieds de la rive, les canoteurs sautent à l'eau et s'ébattent joyeusement vers la plage, à la recherche de leur famille. Parmi eux, Nestor, seize ans, magnifique adolescent musclé et bronzé. Il a les cheveux noirs et les yeux bruns de son père, combinés au physique athlétique de sa mère. Il fend la foule en roulant des épaules, majestueux comme Ulysse de retour à Ithaque.

Apercevant les siens, Nestor se précipite vers eux. Ils s'enlacent tous les quatre. Marieke pleure. Frédérick ébouriffe les cheveux de son fils. Zoé étreint son frère avec tendresse.

Sur le bord du lac, on voit l'heureux chaos des retrouvailles entre les jeunes aventuriers et leur famille.

Petite-Patrie
Automne 2015

Merci

Jean Barbe, le troisième œil qui voit tout.

Maître Stephen Angers et Emmanuelle Bourdon, qui m'ont respectivement conseillé sur les aspects judiciaires et médicaux du récit.

Naïma Jalti, pour le café et les encouragements.

Achevé d'imprimer en mars 2016
sur les presses de
Marquis imprimeur
01 / 03
Dépôt légal : 1er trimestre 2016

Imprimé au Canada